大英帝国 2.0

英語圏の結束、そして日本

慶應義塾大学名誉教授

宇津木 愛子

鳥影社

父と母と愛犬コータに贈ります

目　次

大英帝国２・０

英語圏の結束、そして日本

はじめに

グローバル時代であるので、様々な国々とビジネスや研究などで関わりを持つ方が多いと思う。しかし、アメリカと英国に関していうと、一般的な日本における生活の中ではアメリカの方が圧倒的に浸透率が高い。政治経済上の関わりは言うまでもないが、ＩＴ産業のＧＡＦＡ（Google, Apple, Facebook, Amazon）とファースト・フードの存在があまりにも大きい。現在、覇権を握るのは、かつて英国植民地であった北アメリカの一部であるアメリカ合衆国である。従って、アングロ・サクソン圏の覇権が二代続いているわけである。

日本でもウォルト・ディズニーと並んで、英国のハリーポッターや、くまのプーさん、ピーター・ラビット、パディントンといったファンタジーの世界は、子供にも大人にも人気がある。ファンタジーが愛されるからであろうか。英国が欧州連合を離脱した後に最も頼りにするのは、アメリカを含めたかつての植民地の国々であるということを揶揄する反英国政府の人々は「過去の帝国のファンタジーにすがる哀れな老大国」といったような帝国ファンタジーという表現を使って、散々な悪態をついている。**老大国が新しい方向に向かって新生2・0として勢力を取り戻すのか、それとも、力尽きて本当に老衰してしまうのか、国際世論も大きく分かれている。**英国が誇りとする約二四億人の仲間たちが、どこまで協力してくれるのか。

書名に関してであるが、世界史の中で「帝国」は複数あるので、英国を明示するために敢えて「大英帝国」と物々しい書名にした次第である。2・0は一種の流行語のような表現であり、第一章で触れるが、これは日本では小池百合子都知事を始めとして政治家たちが好んで使う用語である。

本書の課題は、英国のかつての植民地に住む仲間たちについての解説と、その仲間たちと共に「老大国」が築こうとしている2・0構想とはどのようなものであるか情報提供することである。まず、英語圏とはどこの国々であるかを把握することが必要かもしれない。例えば、皆さんが唐突に「英語圏の国を挙げてみてください」と言われた場合に、まず念頭に浮かべるのは次の何番あたりであるのか、興味津々である。

①アメリカ、イギリス
②アメリカ、イギリス、カナダ、オーストラリア
③アメリカ、イギリス、カナダ、オーストラリア、アイルランド共和国
④アメリカ、イギリス、カナダ、オーストラリア、アイルランド共和国、ニュージーランド、シンガポール、南アフリカ
⑤その他の国々
⑥国家のみならず、国際連合、NATO、ASEANなどの国際組織や国際NGOなども英語圏とする
⑦グローバル時代の共通言語と言われるのだから、地球が丸ごと英語圏

①から⑦までのすべてが正しい考えである。なぜ、すべてが正しくなるのかという理由は極めて単純なことで、「英語圏」とは国際法のようなもので定義が提示されている概念ではなく、また英語という言語が確立したイングランドにおいてすら定義が流動的な圏とされているからであ

る。右の①から⑦までの、いずれかを誤りと断定できる人は誰もいないはずである。言語としての基準、例えば、この程度までの文法の乱れは英語圏として認められる、といった基準も存在していない。ただ、歴史上、ほぼ固定した「英語圏の中核」たる認識は存在している。これは第三章と第四章で解説させていただくが、次の五カ国であることは、とりあえず、という形で世界が認めている。なぜ「とりあえず」になってしまうのか。それは、これらの国々は支配層が白人であるために、白人優位の人種差別であるという捉え方が根深く世界に広がっているため否定的に捉える人もいるからである。それと同時に、すべてが英国の植民地であったことから、アンチ・アングロサクソン系の人々には、認めたくない英語圏の中核である。

アメリカ合衆国
英国
ニュージーランド
オーストラリア
カナダ

C　A　NZ　UK

CANZUK

最も身近でありながら、最も複雑な心境にあるのは、恐らくウェールズ、スコットランド、北アイルランドの人々であろう。彼らはケルト系であってイングランドとは一線を画している。スコットランドとイングランドの境は同じ国でありながら、国境（national border）と呼ぶような国である。スコットランドにも首相がいることは、あまり知られていないが、英国には二名の首相が存在している。イングランドの首相をPrime Minister、スコットランドの首相をFirst Ministerと呼んで微妙に違いを示しながらも、どちらも誇り高き首相である。世界がＵＫと呼び、そして日本ではイギリスという名で呼ばれる国家は四つの王国から成る連合王国である。連合王国の内政や国民感情などは、一般に海外で知られている以上に複雑である。まず、それぞれに言語事情が異なっている。英語はイングランドの誇りであり、他の王国にはケルト系言語の誇りがイングランドのそれに勝るとも劣らぬものがある。言語は彼らにとっての威信である。四つの異なる歴史観、そしてそれに伴う高きプライドは連合王国に特有のものである。

既に本書の課題については触れているが、一点補足させていただきたい。日本では、あまり大きくは報道はされていないが、政治の覇権と同様に、予期せぬ事態が発生し得る不穏な時代には「情報の覇権」という問題が日ごと大きくなってきている。この件は第五章で報告させていただく。情報覇権を握る五カ国とは、まさに英語圏の中核と言われているあの五カ国なのである。

五カ国が結束して世界平和のために重大な役割を果たしていることを精力的に論文にして発表している学者の代表的な存在であるオーストラリア、モナシュ大学の国際政治学の講師、ベン・ウェリングス（Ben Wellings）氏と、英国のハダースフィールド大学の政治学者、アンドリュー・マイコック（Andrew Mycock）氏が二〇一九年に一六名による共著を編集した。自らも論文を載せている。両者が担当したイントロダクションにおける次の言表は何か緊迫したものを感じさせる。多くの人々、政治家までもが軽薄に口にする英国政府を揶揄する「**過去の栄光にすがるファンタジー説**」に対しての反撃である。

「Anglosphere」は、何ら空想的（fanciful）なものではない。欧州連合の圏外での国家間の政治的なネットワーク、及び安全保障（security）と情報面（intelligence）においては国家を超えた協力というのが、もともと存在していた。Anglosphere の中核を成す五カ国は二十世紀には全体主義（totalitarianism）に対抗し、二十一世紀に入ってからは、他の反自由主義的

（邦訳は筆者による）

な脅威に立ち向かった。
(*The Anglosphere: Continuity, Dissonance and Location*, Oxford: Oxford University Press, 2019)

「情報の覇権」を担う国の学者にふさわしい自信に満ちた一撃である。安全保障、情報面での活躍は「もともと存在していた」という「もともと」とはいつ頃かというと、第二次世界大戦時である。「Anglosphere」という用語ができる前からあった、ということは「Anglosphere」という、いかめしい学術用語の響きのある語は、比較的新しいことをも暗に教えてくれる一節である。詳細は第四章で解説させていただく。

用語の問題はさておき、重大なことは、英語圏の中核とされるこの五カ国から、英語圏ではない日本に仲間に加わって欲しいという交渉が数年間、静かに行われていたことである。それが英国の欧州連合からの離脱の騒動と同時進行で、あたかも地下にあったものが沸々と地上に湧き出てきたかのように、公の場で議論されるようになってきた。これも専門家の間で賛否が見事に真っ二つに分かれている。ただし、**日本が先進国の中でも驚くほどに「情報後進国」である点に関しては双方、全く同じ見解である。**

河野太郎氏が防衛大臣の時には、肯定的な返事をしているが、その後、話が進んでいる様子はない。少なくとも一般国民には知らされていない。日本の新聞紙上では一般に「機密情報共有枠組み」という面倒くさい組織名が当てられているが、英語では正式名がファイブ・アイズとニック・ネーム的なものなので、ネット上などでは、「情報傍受の組織」や「スパイ同盟」とまで、ありとあらゆる日本語が当てられている。私は一人の国民として、日本が情報の覇権国家の集合体に加わることで、「寝た子を起こす」ごとくテロリストの関心をひいてしまうのでは、という恐怖を抱いている。しかし、日本にとってテロ対策は不可欠であるので、国家の治安維持のためにも複数の国々と情報共有の準備をしておくべきだ、という専門家が多い。ファイブ・アイズに関しては、第五章の課題にしたい。

本書は何らかの提言を目的とするものではなく、「ごちゃごちゃ状況」の英国に関して、できる限り分かりやすい解説を「英語圏」という切り口から試みることである。暗中模索とも言えるような渦中の英国が、長い歴史を経て築いてきた英語圏の仲間たちと、いかようにして新しい道、2・0を切り開いていくのか、そして日本はどのような形で平和に向けて歩調を合わせるべきであるのかを考える参考にしていただけると光栄である。

二〇一七年八月末、テリーザ・メイ首相（当時）が日本を訪れた。安倍晋三首相（当時）との会談においてメイ首相から全く予期せぬ発言があった。

（一部の邦訳は筆者による）

日本と英国は like-minded です。

like-minded という形容詞句は「心が同じ方向にある」や「志を同じくする」といった訳が近いと思う。首相としては、経済上の協力関係が最も重要でありながらも、国民性のようなものをも重視していることが伝わり、専ら関税同盟と単一市場が中心の貿易の話ばかりが続いていた離脱騒動の中で、「心」ということが話題になって安堵のようなものを覚えた。

政治家であるので、諸々の思惑があってのことではあろう。しかし、英語圏ではない国、かつての植民地ではない国に対して、英国の首相が、このような語を用いて親しみを表したことは、国家としての異なる歴史や言語を超越した次元から日本という国を、あたかも「血のつながりはないけれど、大切な身内」であるかのような思いで見ているという印象を受ける。

二〇二一年三月に行われたアメリカの国務長官と中国の主席との喧嘩のような会見は「like-minded」の反義語を映像化して見せつけられた思いであった。まだまだ、このような残念な報道に満ちてはいるが、英国の欧州連合からの離脱騒動は一応は終結した。しかし、世界中が引き続き怖ろしい感染病との闘いを続けている。グローバル化の新しい要因が、互いに助け合う「心」という方向性を帯びてくるかもしれない、というかすかな期待を抱きながら執筆を進めたい。

第一章　2・0が意味すること

「2・0」は二〇〇五年から流行し始めたコンピューター用語である。ソフトウェアがバージョンアップされ次なる段階に移行したという意味でWeb 2.0として世に出た。それが二〇一〇年あたりから他の様々な分野において流行し始めた。「民主主義2・0」とか「環境倫理2・0」とか「通商改革2・0」といった用語が目につくようになってきた。いわゆるリバイバル的な流行表現である。

2・0が示唆する意味としては「第二のバージョンとしての」「次世代の」「より進化した」といったところであろう。小池東京都知事も、二〇二〇年六月の都民に向けたメッセージの中で「東京大改革2・0」と謳っている。その後も折に触れ2・0という表現を用いて、「都民ファースト」「情報の見える化」「賢い支出」を更にバージョンアップさせて充実させることを2・0を用いて都民に伝達している。

二〇二〇年に小池都知事が「東京大改革2・0」を公言する二年前には経済同友会安全保障委員会の委員長である武藤光一氏が2・0を堂々用いている。二〇一八年十一月号の広報誌『経済同友』においてである。2・0が前向きな意味を示す用語として用いられていることは敢えて申すまでもないが、ここで大変に興味深かったのは、2・0を説明するに当たってもうひとつ、ある思考法の用語を取り入れていることである。この時に印刷された武藤氏の言葉を左に、そのままコピーする。

われわれ経済同友会が「Japan 2.0」で提唱している基本的な視点ですが、将来のあるべき姿から考えてみる「バックキャスティングの視点」です。

ここで学ぶべきは、2・0という発想法というのは視点を将来に置くこと、そして、それをバックキャスティングと呼ぶことである。どちらも聞きなれない方のほうが多いと思うが、このようにセットで用いられる思考法のようである。

ヨーロッパにおいては英国の国民投票で欧州連合からの離脱派が勝利して以来、つまり二〇一六年の六月以降Empire 2.0という表現が一気に広まった。英国政府の次のような理念に対する揶揄として反英国政府の人々がEmpire 2.0を口にするようになった。「英国政府が欧州連合を離脱しても、それは英国が孤立することを意味しない。官僚的な欧州連合の諸々の束縛から解放され、他の多くの国々との交流、連携を強めることで、よりグローバルな国家を築くことができる。」

このような前向きな精神で用いるのが本来の２・０なのであるが、英国においては、２・０の前にEmpireを置くことで、どうしても、揶揄となってしまう。つまり植民地時代の再来、帝国主義の再来と言わんばかりの批判として、Empire 2.0という表現が流布し始めている。

詳細は第三章で少し詳しく解説させていただくが、五〇カ国以上の多くの旧植民地が今日でも英連邦（Commonwealth of Nations）を構成している。カナダ、オーストラリア、ニュージーランドを始め、二十一世紀の今日でもエリザベス女王を自分たちの国家の元首としている国が英国を含め一五カ国も存在している。女王陛下はまさに「君臨すれど統治せず」の言葉通り、直接には政治に関わることはないが、女王の座は温存するという方針をとった。植民地が次から次へと独立する中、イギリスのとった政策は独立を阻止する戦いではなく、非常に平和な、日本人が好む表現を使ってみるならば「ご縁を大切にしましょう」といったところかもしれない。勿論、外交の複雑さ、困難は多々あると思うが、基本にあるのは、こういった将来を見据えて、**独立していく国々との喧嘩別れを回避したわけである。これが、まさに、一〇年、一〇〇年後の世界を見据えたバックキャスティングという叡智である。**

帝国2・0を痛烈なる皮肉と解釈する背景には多くの根拠があるが、特に大きな問題は大英帝国の植民地政策によって浮き彫りにされた白人が支配者で有色人種が被支配者という人種差別の構図である。コンピューター用語としてのバージョンアップや東京都知事が言う、より進んだ都市という意味の2・0とは、伝達する概念が全く異なっている。暗い歴史の爪痕を思わせる用語であることは二〇一七年当時、国際貿易大臣であったリアム・フォックス氏の次の言葉からも読み取れる。

（邦訳は筆者による）

That’s not a phrase I would ever allow them [civil servants] to use.
It’s a phrase I find slightly offensively caricaturing.
So it’s not a phrase I would use.

（それ（Empire 2.0）は行政の人間が使うことを決して許せない用語である。不快な風刺的用語である。私は決して使わない。）

二〇一七年三月に、かつて植民地であった三〇カ国以上が会する首脳会議がロンドンで行われた。これは**相互に有益であるような貿易強化を目的とする**ものであったが、この会議に先立って英国の『タイムズ』紙が、一部の英国の政府関係者が Empire 2.0 を用いてこの貿易強化政策に懐疑的であるという内容の報道をした。これを受けてフォックス氏が後に *sky news* を介して怒りを表明したものである。

2・0という表現法は、日本においてはコンピューターの世界でも、東京都政に関しても「バージョンアップ」「次なる前進」を意味し、この用語から負の印象を受けることはない。しかし英国の Empire 2.0 という表現には植民地政策時代のイングランドがべったりと張り付いている。従って反イングランド、若しくは反英国政府の人々の感情を掻き立ててしまうわけである。それゆえの、フォックス氏の怒りであった。しかし、これも次第にはがれていき、負の印象がなくなった状態で使われるようになる日が来ることも十分に考えられる。このような内包される意味の変化においても、メディアの影響は極めて大きい。英国の国営放送ですら、欧州離脱の混乱の中、耳をふさぎたくなるくらい、報道者の主観が、べったりと張り付いたものが多かった。メディアに関してはできる限りの注意をすることが必要である。

そういった報道に辟易している時に国際通信社『ロイター』の二〇一七年十一月十九日付の記事が目につき、「健全なメディアも存在する」ことを知り有難いと思った。記事では、まずアイルランド共和国の作家フィンタン・オウトゥール（Fintan O'Toole）氏の次の発言が報告された。

ブレグジット（英国の欧州連合離脱）は『大英帝国2・0』の幻想にあおられている。『大英帝国2・0』とは、古い植民地と本国が統合し誕生した、グローバル貿易帝国のことだ。

『ロイター』の記者は**冷静なる**判断をもって、次の正論を述べた。

オウトゥール氏の指摘はばかげている。よほどの夢想家でないかぎり誰一人として（中略）大英帝国が再構築されるとは信じていないし、そうなることを望んではいない。

これは、真の正論であり、英国は、経済の立て直しに精魂込めているが、これは決して、かつての植民地であった国々を利用して再び大英帝国を構築することを夢みているわけではない。英国とヨーロッパで感情的になっている人々は、**このような冷静なメディアの言葉に耳を傾けるべきであると痛感した報道であった。**

極東の目にはEmpire 2.0は揶揄ではない

地球上のあらゆる場所で人類は、数えきれないほどの戦争をし、途方もない数の罪なき人々の命を奪ってきている。多くの国々で戦いは続いている。今、この瞬間にも、理不尽に命を奪われている人々がいる。血なまぐさいニュースは地球の様々の方角から聞こえてくる。人類の邪悪な行為、憎しみは、いつになったら終わりを遂げるのか。

私が英国に留学していたのは、北アイルランドとアイルランド共和国の和平が成立する一九九八年の前であったので、アイルランド共和国軍（ＩＲＡ）と称するカトリック系テロリスト軍団が北アイルランドでテロ行為を続けていた。プロテスタントの女子とカトリックの男子がデートをしていることが許せないと女子の目の前でボーイフレンドが射殺される、といった悲劇が新聞の一面に載るということが、悲し過ぎる日常茶飯事であった。ロンドンでも爆破事件が立て続けに起きていた。犯人は誰か、何の目的か特定できない攻撃が多かった。

二十一世紀を迎えるまでに、南北アイルランドの間で一応の和平が成立した。一九九三年には欧州連合が成立し、二〇〇四年の第五次拡大時には東ヨーロッパ諸国までも迎え入れ二〇一二年に国家の集合体としては初めてというノーベル平和賞が授与されている。英国を含めヨーロッパ全体が平和というベールに包まれた印象さえ世界に与えた。平和と言う名を勝ち取ると、今度は他国が歴史に残した爪痕を過度に露呈し、責め立てる。人間の弱さなのだろうか。そして歴史の上で起きた悲劇を現在の政治家たちになすりつける。英国政府の欧州連合離脱に対しても、まだ怒り冷めやらぬ人々が、欧州連合の幹部のみならす、世界中にあまたといる。彼らは大英帝国時代の植民地政策の負の側面を取りあげ現在の英国政府を罵倒する。

英国は、かつての植民地とのネットワークであるコモンウェルスとの結束を深めることを欧州連合離脱後の最大のアジェンダの一つとしている（コモンウェルスに関しては第三章で解説）。これに関して「アフリカやアジアなどの開発途上国は欧州連合の経済力とは比較にならない」といった嘲笑にも聞こえる経済に関する批判が横行している。大英帝国の植民地政策を横暴な行為と酷評する人々がこれを言うのは非常におかしい。経済力のない開発途上の小さな国を下に見て何を言っても許されるといった傲慢さを象徴してはいないだろうか。どんなに小さな国、貧しい国であっても、彼らなりの文化や伝統、そしてプライドもあるに違いない。英国政府が中核となるこの組織は、アフリカの国内で人権問題を発生させたり、クーデターを起こした国を脱退させている。そういった深刻な問題を起こした国々も内政を整えた上でコモンウェルスに復帰している（巻末に簡略した情報あり）。

アフリカ、アジア、オセアニア諸国、カリブ海諸国の経済力とドイツ、フランスが中核にいる欧州連合の経済力を比較して欧州連合を離脱することを短絡的に英国の弱体化と直結させることは正しいことなのだろうか。そしてまた、かつての植民地政策を白人優位の差別政策と酷評するのであれば、欧州連合が世界で最も白人の人口が大きい集団であり、心のどこか片隅に白人優位の感覚を秘蔵している人がいるかもしれないことに一考を馳せることも必要なのではないだろうか。

勿論、かつての植民地には英国に嫌悪、憎悪を抱く人々も必ずいると思う。国によっては、その傾向が強いケースもあるだろう。植民地（colony）という用語を耳にするだけで屈辱を覚える人々も多いことと思う。植民地の中でも生活水準が高く白人系の国にはコロニー（colony）という用語を当てずにドミニオン（dominion）という用語を当てて自治権を与えるといった差別化にも不満は大きいと思う。

植民地（colony）という用語に対する国民感情は極東の人間の想像をはるかに超えるものであることは、英国独立党（ＵＫＩＰ、離脱に向けてはブレグジット党の名のもと活動）のナイジェル・ファラージュ氏が欧州連合批判の中で「欧州連合はわれわれを植民地化（colonise）しようとしている」と発言した時に痛切に感じた。このような用語は用いるべきではない禁句であるとして怒りを表明したのがケンブリッジ大学の言語学の教授であり、それを受けて同じくケンブリッジ大学の歴史学の教授がディベートを行い、それが英国のテレビ局で取り上げられ、また世界に配信される動画で公開された。

確かにウィンストン・チャーチル首相も現在のボリス・ジョンソン首相も文明論は英国のイン

テリ層の素養のようなところがあり、ところかまわず、文明論の議論を始めるようなところがある。現実離れしているところ、そして見事な雄弁さは、彼らの魅力ではあるけれど、現実があまりに緊迫している中で、この議論を聴くのは正直なところ苦痛であった。

東洋も西洋もなく国交を積極的に行いつつある英国の政治家たちは、机上の議論に熱意を傾ける学者たちと異なり現実的に次世代に向かって歩み続けていることを痛感した。英国は離脱交渉の間に六二カ国にも及ぶ国々と貿易協定を結んでいる。

このことを公の場で評価したのはフィンランド代表の一人として欧州連合議会に出席しているローラ・ハタサリ（Laura Huhtasari）氏であった。英国が離脱する直前の欧州連合議会において彼女から次のような発言があった。

（邦訳は筆者による）

欧州連合との長い交渉の中で合意に達した協定案は今でもゼロです。その間に英国は六〇カ国もの欧州連合の外の国々と協定を結んでいます。英国が羨ましい。私たちも今後、英国を見習いたい。

北欧から英国への応援の声があったことが印象的な一場面であった。欧州連合側の言い分は、ヨーロッパは国境を越えて自由な貿易を可能にしたグローバル化の最先端を象徴し、ノーベル平和賞まで受賞している。英国の言い分は欧州連合の一員である限り、欧州連合の外の国々と自由に貿易協定を結ぶことが許されない、このような拘束に縛られる欧州連合を離脱することによって本来のグローバル化を実現させられる。そして、メイ前首相とジョンソン首相ともに、グローバル・ブリテンをモットーに掲げ努めている。フィンランドの議員は英国の理想の方に共感した、という一幕であった。

コモンウェルスに関しては、加盟国の数に若干の変動が生ずるが、二〇二一年初頭においては英国を含め五四の国々で構成されている。加盟時に英国以外の一六の国々がエリザベス女王を国家の元首とすることによって英国への忠誠を誓っている。一九九二年にインド洋の国モーリシャス（大きさは東京都に近い）が共和制に移行するのを機にエリザベス女王は国家元首の座を退いた。またカリブ海の東に位置する島バルバドス（大きさは種子島に近い）は一九六六年に独立した当時は立憲君主国であり、以降エリザベス女王が元首の座にあったが、二〇二一年十一月に独立後の五五周年を迎えるに当たって共和制に移行することが決まり、モーリシャス同様、エリザベス女王は元首の座を退くことが決まった。決して敵対して決めたことではないので、モーリシャス同様、引き続きコモンウェルスのメンバーとしてリストから国名が消えることはない。国家の制度が変更すれど、コモンウェルスを抜けることは考えないという点が素晴らしいと思う。

コモンウェルスは第三章の課題であるが、ここでご紹介しておきたいことは、二十一世紀に入り二〇年以上も経過した現在でも、まだエリザベス女王を元首としている国が英国、カナダ、オーストラリアを含め一五カ国も存在していることである。このような国々では国家の式典を執り行う際、英国の国歌を歌う伝統を維持している。また、四年に一度、コモンウェルス・ゲームズと呼ばれるスポーツの祭典がある。

こういった文化的な交流、伝統を重んじる交流を度外視して経済のこと、貿易による収益のことだけで判断する人々は「欧州連合からの離脱後に、これらの国々から得られるもので離脱による損失をカバーできるはずがない」といった性急な結論を自慢げに語る。英国の孤立化、弱体化、暗い将来像を誇張する。

第五章で紹介する共著 *Anglosphere*（Oxford: Oxford University Press, 2019）の中の次の文が気になる。

British Empire does not want to die.

直訳すると「帝国は死に絶えたくないのだ」となろう。勿論、死ぬわけがないし、そのきざしすら全くない。死んでしまいそうな帝国の女王を自分たちの国の元首としてトップの座に置くことなどするはずがない。コモンウェルスに加盟しているそれぞれの国に、それなりの思惑や損得の計算があってのことかもしれないが、恨みと憎しみと軽蔑と屈辱をまとって憎き国の女王を仰ぎ、その国の国歌を歌い、スポーツの祭典に参加したりするだろうか。

「帝国2・0」の責務

大英帝国は死んでなどいないし、そもそもEmpire 2.0が揶揄であるという一般的な解釈に疑問を投じたい。二十一世紀の今日でも英国に貢献した人々には大英帝国勲章（Order of **the British Empire**）という名の勲章が与えられ、これは名誉以外の何物でもないはずである。Empireがつくから嫌がらせの勲章と解釈する人など考えられない。ビートルズも受賞している。サッカーのベッカム選手、歌手のアデルも受賞している。誇り高き大英帝国がまだ息づいている証拠ではないか。

大英帝国勲章は一九一七年に始まったもので創始者はジョージ五世である。ジョージ五世はヴィクトリア女王の孫であり、現在のエリザベス女王の祖父である。勲章授与が意図するものは「神と帝国」のため（For God and **the Empire**）であり、当初は軍人、政治家、貴族といった特別な地位にある人々が対象であった。現在は文化、スポーツなど多方面において活躍した人々に与えられる。大英帝国勲章のアイデアが寛容で公平であることを示しているのは国籍は英国と限定していない点である。二〇一九年には稲盛和夫氏が受賞している。データセンターの設立などで地域活性化に貢献したことが評価されてのことである。日本の新聞では「大英勲章」と報告され「帝国」は省略されていたが、勲章の正式な英語名（Honorary Knight Commander of the Most Excellent Order of the **British Empire**）には **Empire** がしっかりと刻まれている。

第三章の課題であるコモンウェルスの中のカナダ、オーストラリア、ニュージーランドと英国の強い結束を象徴する四カ国の最初のアルファベットから成るCANZUKという用語を一九六七年に創設したウィリアム・マッキンタイア（William McIntyre）氏も、一九九二年に大英帝国勲章を受けた人物である。ニュージーランド出身でケンブリッジ大学で学び、本書の執筆時にはカンタベリー大学の名誉教授として八十九歳の現役学者である。

名誉受賞の流れで、二〇〇一年にノーベル経済学賞を受賞した元世界銀行チーフ・エコノミストでもあり、かつ副総裁で現在はコロンビア大学教授のジョセフ・スティグリッツ氏の主張を思い出して欲しい。彼がグローバリゼーション改革論者として著わした『世界に格差をバラ撒いたグローバリズムを正す』（徳間書店、二〇〇六年）がベストセラーになっている。彼が日本の国際協力機構JICAによるインタビューの中で強調した点は決してグローバリゼーション自体を否定しているわけではないこと、そして深刻な問題は途上国の声が反映されないことである。**途上国の立場に立った貿易構造の確立**が今後の世界の重要な課題のひとつであることを彼は主張している（『Voice to JICA』二〇〇七年十月号）。その主張を非常に端的に要約すると次のようになる。

現行のグローバル化において発展途上国の声が全く反映されていない。途上国の声を反映させた政策の実現が必要である。

世界はスティグリッツ氏から学ぶべきである。英国はコモンウェルス内の途上国との国交を非常に重要視している。Empire 2.0 が揶揄もしくは嫌がらせになるのは、帝国を意味する Empire が領土拡大に伴う被支配国における労働者搾取や英語の強要といった傲慢な暗い側面が世界史の中では色濃く残り、その濃厚色の記録が「世界の中心として地球の近代化に貢献した栄誉の色」「ほまれの色」をも打ち消してしまったからなのではないだろうか。確かに悲劇の歴史ではある。しかし、それによって「栄誉」のすべてが色あせ、無きに等しいかのように考えること、語ることは決して正しいことではない。

重視すべきは Empire のあとに２・０が続くことである。Empire の時代から次の段階への移行を示す用語である。つまり、**もはやかつての Empire とは体質を異にしていることを意味する。それと同時に Empire であった時に築いた歴史に対して責任を追求するという解釈も成立する。**

英国が既に進めている開発途上国との国交はグローバル化の正しい方向性の指標であるとして期

待する寛容性があってもよいのではないだろうか。英国が二四億人の仲間たちと築く新しい世界システムが地球の苦しみを軽減することに貢献できる可能性がゼロであると誰も断言はできないはずである。欧州連合も当然、アフリカの国々を始め、発展途上国との国交を重視しており、本書は決して欧州連合に対する批判や対立観念を表明するものではない。しかし、英国が欧州連合を離脱することによって、欧州連合の一員としてではなく、英国という国家として貿易や開発援助ができるようになる。かつての植民地であった国々で現在もコモンウェルスのメンバーとして英国と「ゆるやかな関係」を維持している国々にとっては、欧州連合を始めとする「外発的」な支援に加え英国という仲間からの「内発的」な発展の支援を受けることができる。この点は見逃されがちであるが、Empire 2.0が発揮できる特別な力である。

スティグリッツ氏の言葉を念頭に置くことで、Empire 2.0を皮肉や揶揄ではない解釈に方向転換することはできないものだろうか。少なくとも、その試みはできるはずだ。無責任な揶揄からは解放され、これまで、あまりにも激しい経済の競争の中に埋没して見えにくくなっていたグローバル化の、あるべき真の方向性のようなものに光を向ける新しい世界システムが見えてくるのかもしれない。またスティグリッツ氏は『世界を不幸にしたグローバリズムの正体』（徳間書店、二〇〇二年）の中で「人間的な顔をもったグローバリゼーションに向けて」を主張している。

Empire 2.0として、かつて植民地であった開発途上国の人々との結束を深める、という「人間的な顔をもった」正しいグローバル化の世界構築の礎となるのではないだろうか。植民地においては英語ができるエリート層と、そうでない社会的に地位が低く単純労働に従事する人々との格差をつくったことも非難されるが、植民地におけるエリート層の人々にノブレス・オブリージュ[注1]の精神を抱いてもらい、将来の自国の発展に貢献するという循環を作ることも**2・0を背負った国家の責務ではないだろうか。**英語が堪能で頭脳明晰な人材をケンブリッジやオックスフォードを始めとして、恵まれぬ人々を思いやる心をもち社会貢献ができる人材を多く輩出している大学における研究生として優遇するという教育政策の一層の充実化を進めることも大きな貢献に繋がることは間違いない。

大英帝国の植民地政策における白人優位が批判の対象要因のひとつである。しかし**既に英国は2・0の段階に入っている。**コロナの感染拡大予防策として英語圏の中核となっているカナダ、オーストラリア、ニュージーランドの代表たちとオンライン会議をしているのを何度かネットで見ているが白人でない会議出席者も多々含まれている。そして、英国の歴代首相が日本が機密情報共有の組織に加わることを切望している。第五章で扱うファイブ・アイズという組織である。まさに英語圏の中核とされる五カ国で構成されている。強い信頼で結ばれるこの組織に誘われている日本国民は有色民族以外の何物でもない。日本では全く意識しないまま一生を送る人が殆どだと思うが、われわれは黄色人種であり、白人ではない。

【注】

(1) ノブレス・オブリージュはフランスから英国に渡った用語であり、Noblesse は英語では noble、つまり「高貴な」、「恵まれている」というようなことを意味し、oblige は英語では obligation、つまり「責任」「義務」を意味する。恵まれた環境にある人間は、それを享受するのみでなく、与えられた恵みを社会に還元し、社会に貢献する責任がある、ということを意味するこのノブレス・オブリージュこそが、二十一世紀、二十二世紀に求められる国際教養人の念頭に置くべき理念である。

エリートという概念は誤解されがちであるが、エリートとはこのノブレス・オブリージュを理解し、使命感と優しさをもって他者の考えを理解しようと努力できる人のことである。そして自分のような高い教育を受けられなかった人を下に見るのではなく、敬意をもって接することができる人のことである。他者の苦しみに共感できる人のことである。二〇一九年から日本で流行語化されている「上級国民」という生き方とは大きな相違があるエリート、そしてエリートによるノブレス・オブリージュという生き方がある。

第二章　バックキャスティングという特殊な才能

バックキャスティングという用語は、造語されてからまだ二四年しか経っていないこともあり、日本では広くは知られていないが、既に触れたように2・0という発想に近いものがある。**発案したのはスウェーデンの環境保護省である。**一九九七年に「二〇二一年の持続可能性目標」(Sustainable Sweden 2021)として用いた用語である。「**長期ビジョン**」、「**未来志向**」、「**次世代思考**」とも訳せるもので、**2・0発想と共通する重要な思考法である。**

日本で「将来の展望」というと、一般にどれくらい先のことを考慮するのだろうか。勿論、課題によりけりであり、一般論化はできないし、意味のないことであるが、英国に関しては、一般論とまではいかないが「傾向」といった程度のことは存在している。彼らは一〇〇年単位で物事を考える傾向があるというのが、私的体験から学んだことである。

テリーザ・メイ前首相が二〇一八年の年頭の挨拶の中で、こんなことを述べた。「今年は英国で女性が参政権を獲得してから丁度一〇〇年目になります。」

メイ首相のスピーチを耳にしたあと暫く、一〇〇年が頭から離れなかった。英国の栄華を誇るパクス・ブリタニカも約一〇〇年続いた。フランスとは二度も百年戦争と称される戦いで戦火を交えている。

世界に比類のない一〇〇年後の平和の準備

詳細は第三章で解説させていただくが、英国の欧州連合からの強気の離脱の背景には英連邦の二四億人の仲間の存在が大きかった。これだけの数の仲間をもつことができたのは、約一〇〇年前の英国の上院議員であったバルフォア伯爵の叡智であり、これをウェストミンスター憲章として国家の組織の中に組み入れたという国家の叡智でもある。欧州連合からの離脱後の英国を救うための見事なバックキャスティングは、世界史の中の「先見の明」として最も偉大な例として挙げられるだろう。この見事な先見の明がなかったら、もしかしたら本当に英国の将来は危険にさらされてしまっていたかもしれない。ぜひ、第三章の英連邦に関する章をお読みいただきたい。

高尚な課題から、唐突に現実的過ぎる学生生活の話に脱線してしまうが、百年戦争やウェストミンスター憲章などの一〇〇年単位で進む英国の歴史に思いを馳せているうちに、ふと、学生時代を思い出してしまった。イングランドの大学で論文の仕上げに入った頃、学生生活を担当しているのスタッフのかたから呼び出された。研究生活において重要な時期に入っているという理由で、比較的新しく設備の整った宿舎に移動することを勧めてくださった。二〇年、三〇年くらい前に建てられた宿舎と直観して迷わず「是非」とお願いした。

その「比較的新しい」宿舎は約一五〇年前のヴィクトリア女王時代に建造されたものだった。キッチンがついていて、忙しくて学食に出向けない時には自炊できる。風呂も他の学生たちと共同使用ではないので、好きな時に長く浴槽で過ごすことができ、肩こりもとれた。担当スタッフのかたのご配慮に対し、一五〇年と聞いた時の驚きの方が優先してしまい、なすべきお礼を言わなかったことを今でも反省している。

思えば、「比較的新しい」宿舎に移動する前の宿舎は八〇〇年前に建造された（勿論、何度か修復はされているが）レンガ造りの学寮であった。「比較的新しい」は英国人が好む控えめ表現（understatement）であり、初期の学生寮と比較すれば間違いなく「相当に新しい」ものであった。

つい、懐かしい遠い昔に話を逸脱させてしまったが、バックキャスティングという課題に話を戻そう。日本では主にビジネスの世界で、一〇年先、二〇年先を見越した長期経営を考える必要性の説明に用いられる用語である。日本の国土交通省においての国土形成計画法や環境省の低炭素社会ビジョン策定で既に使われている用語である。日本語には「先見の明」という素晴らしい表現がある。まさに、それである。

英国において、この用語は使われていないかもしれないが、とにかく英国のバックキャスティング能力、「先見の明」の能力には並々ならぬものがある。そのような特別な隠れた並々ならぬ能力があるからこそ、産業革命を起こしたり、世界の四分の一を支配するようなことまで出来たのではないだろうか。日本より小さな島国が。

欧州連合離脱については、英国内、ヨーロッパ大陸内では死活問題になっているケースも多いと思うし、残留派の怒りを考えると無責任な言及は禁物と分かりながらも、ここは極東の人間の無責任、無知ゆえと許しを願い、敢えて言ってしまえば、英国が欧州連合から抜けることは相当前から準備があったことは、まず間違いない。意識的な、計画的な準備というより、**潜在的なバックキャスティング能力が英国という国家のどこかに、しっかりと根をはって構えていたに違いない。**

まず、一九九九年に共通通貨ユーロを導入しなかったことである。次の図（四八頁）をご覧いただきたい。これはイアン・ダント（Ian Dunt）氏の著書 *BREXIT: What the Hell Happens Now?*（Canbury Press, 2016）に載ったものであるが、とても賢く作られている。文字の大きさが経済力を示す。ユーロを導入しない国の円の中で英国が突出して目立ち過ぎる。言い方を変えると、ここに英国の名があることが不自然なのである。自国の通貨、ポンドを守り抜く迫力を感じる。基軸通貨という用語があるように、通貨が世界システムの中枢にあるので、**ここは絶対に譲らない、という姿勢である。**

図１　欧州連合加盟国とユーロ圏

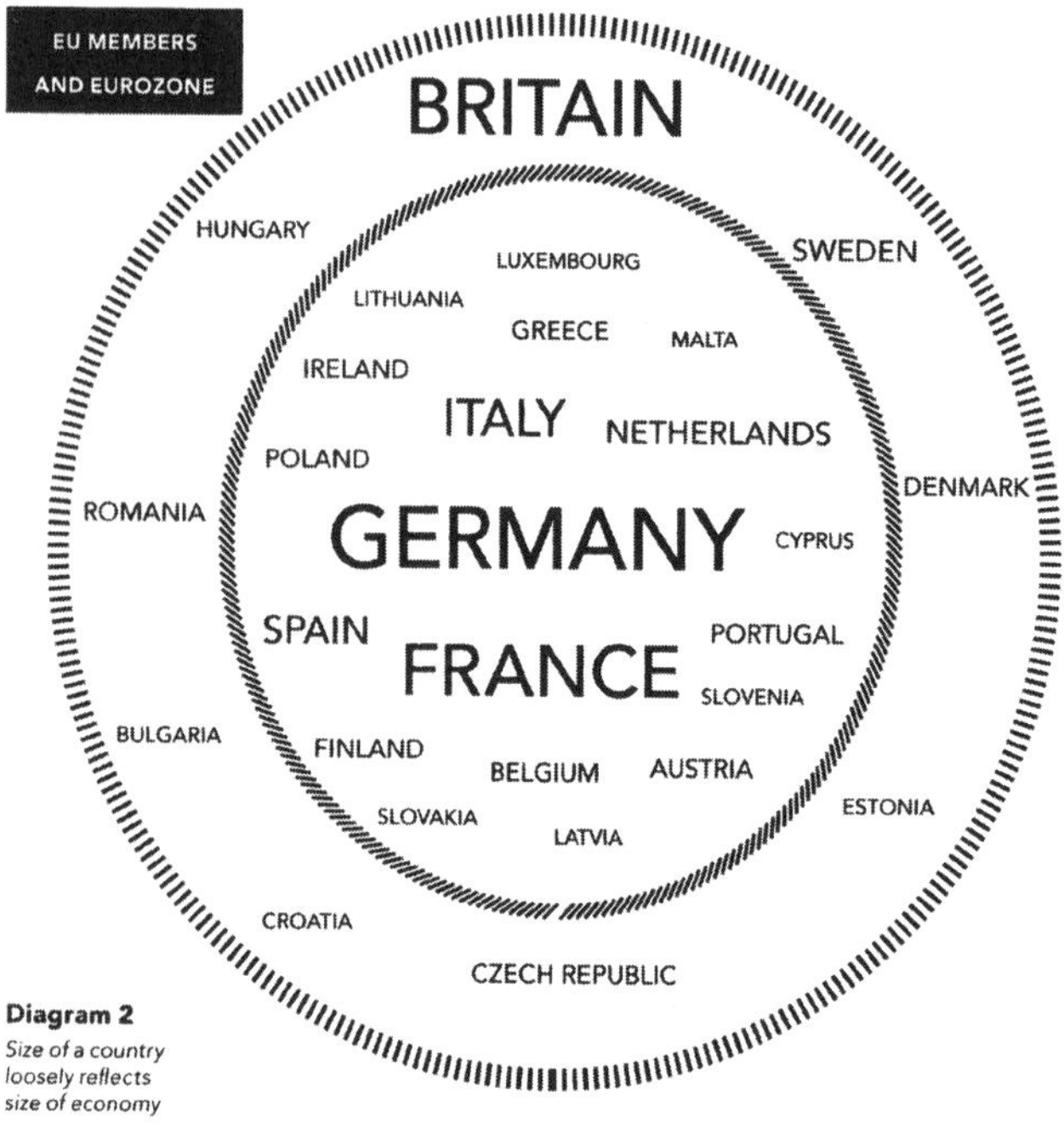

出典：Ian Dunt, *BREXIT: What the Hell Happens Now?*
Canbury Press, 2016

国名の文字の大きさが経済力の大きさを表すという工夫がなされている。

（Brexit の国民投票が行われた 2016 年の経済力のデータに基づく）

内側の円がユーロ圏、外側がユーロ圏外の国々であり、**一目瞭然に英国の決断の特異性が理解できる。**

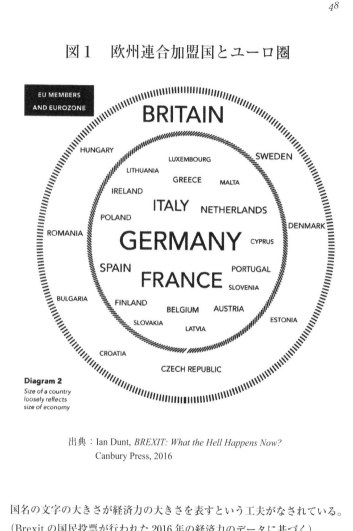

もう一点、英国が絶対に譲れないという姿勢を見せたのがシェンゲン協定（一九八五年）への調印である。これはパスポートのチェックなしで欧州連合域内を移動できるという協定である。欧州連合の外からの旅行者などには大層喜ばしい協定である。英国はこの協定に入っていない。欧州連合内では「ヒト、モノ、カネの移動が自由」となっているので仕方がないが、外からの訪問者はパスポートの検査がある。

ルクセンブルクのシェンゲン村にはモーゼル川が流れ、モーゼルワインを産出する、なんとも美しいヨーロッパの村である。フランスとドイツとルクセンブルクの三カ国が隣接する場所に位置している。それゆえ、この美しいシェンゲンにいると、目の前にはドイツとフランスという大国が広がって見える。日本や英国という島国の人間には到底、想像がつかない光景である。このような環境にあっては、国境を越えるのにパスポート検査不要という特例は理解できる。ヨーロッパ大陸の国々は、こぞって調印したものの、英国とアイルランド共和国は加盟していない。これも理解できる。

「欧州連合に加盟はしましたが、そこまで大陸と同等の存在にはなれません」という言い分は当然のことに思える。シェンゲンにいると、フランスとドイツが同時に視野に入る。これがヨーロッパ大陸の文化である。大陸文化を少々誇張して表現するならば、例えばコーヒーショップの外の席でパラソルの下でコーヒーを楽しんでいると、その横を歩く人が外国を歩いているという感覚である。これは島国にはあり得ない。**海洋国家では外国を別名「海外」と言う。大陸文化との感覚の相違は大きい。**海外どころではなく、握手を交わしている二人の右の人と左の人が異なる国に立っているということすらあり得る。大陸の国家で育った人と海洋国家で育った人とでは、そもそも生まれながらもっている感覚が異なっている。とは言え、もし今後一〇〇年、二〇〇年欧州連合に留まる覚悟でいるのなら、そこは妥協してシェンゲン協定に加わったことだろう。しかし、それはなかった。

同じグレート・ブリテン島内であってもウェールズとイングランドの間には、はっきり認知できる国境があり、標識には英語だけでなくウェールズ語での国名も誇らしげに並んでいる。そういう連合王国（UK）であるから国名が異なる国の人々の出入国をパスポートチェックなしで認めることには協力し兼ねるのは当然に思える。

ユーロという通貨を拒絶したこと、シェンゲン協定に協力しなかったこと、このことからだけでも、相当前から既に離脱の準備に入っていたというバックキャスティングは十分に考え得ることである。

元エネルギー相　デヴィッド・ハウエル氏

ユーロの導入拒否もシェンゲン協定の不調印も、どちらも国家レベルのバックキャスティングの例であるが、個人レベルの例をご紹介したい。今から一五年前のある英国人の見事な先見の明である。

デヴィッド・ハウエル氏はサッチャー政権のもとでエネルギー相を務めた親日家の政治家で、彼が二〇〇六年に月刊誌『Wedge』（十月号）に掲載した記事は彼の見事な先見の明を証明している。タイトルは「日本と英連邦の民主主義ネットワークで世界の安定を目指せ」で、今から一五年も前に、このような所見が世に出ていたことに驚く。国民投票が行われることも、そして欧州連合を離脱することが決まることも誰も予想していない二十一世紀に入って間もない段階に、まさに今、英国政府が考えている手段が必要なことを主張している。英連邦についての詳細は次の章の課題なので流れが逆になってしまうが、彼が主張している重要な点を箇条書きにして本章で紹介させていただく。

- （英連邦は）実質的意味のない国際機関である、という認識は完全に過去のものとなった
- 新しい英連邦ネットワークが二十一世紀の国際協力の理想的モデルであり、驚くべき可能性を秘めている
- まず手始めにやらなければならないのは、英連邦に興味を失ってしまった世界の国々に対して、その新しい可能性を周知させることだろう
- 英連邦は「眠れる巨像」と言われてきたが、もはやそのような存在ではない

彼は一五年前に既に「ノスタルジー」説の誤りを指摘している。そして、こう述べている。「ノスタルジーと脱植民地化の記憶を共通項とする衰退しきったクラブとは程遠く、情報技術とeコマースの分野で最先端を走っているのは、米国と日本を除けば、すべて英連邦のメンバーである。」ハウエル氏は英連邦の中でも、とりわけインドの存在を強調し、将来的には人口の面でも中国を抜くと予想している。彼いわく、世界のすべての問題に対し「(英連邦は)改革され、**強化され、信頼され、そして拡大された。**」**一五年前の彼のこの発言が、まさに帝国2・0の実態そのものなのではないだろうか。**そしてハウエル氏は言う、

豊かな国も貧しい国も大きな国も小さな国も、友好的で形式ばらないような話し合いができなければならない。(中略)世界の平和や安定性に向かっての共通の価値観を共有し、動機を共にした上での相互理解と友情の精神が必要なのだ。

このような二十一世紀型に求められる世界観が欧州連合にはないことを指摘している。ハウエル氏が英国が離脱する一五年も前に主張していたことは、「先見の明」に基づく鋭い提言であり、本書で言うところのバックキャスティング能力の証に思える。

地政学的に批判する人々は、近くにある欧州の大陸との連携より遠く離れた国々との連携を選んだことは賢明な策ではないと言うが、ハウエル氏によれば、遠く離れているからこそ、グローバルな平和構築を実現させられる。地理的な面に関して彼は次の点を指摘している。

- 英連邦は北半球と南半球の国からなり（中略）民主主義政体の拡大に労を厭わない
- 英連邦は五億人のイスラム教徒をはじめとして、さまざまな宗教圏を包含し、すべての大陸にまたがって存在している。それゆえに文明同士が将来衝突するであろうという見方を、英連邦の存在自体が否定している

ハウエル氏は「**相互の尊敬**」で**結ばれた英連邦というネットワークが二十一世紀の国際関係のモデルとなる**こと、そして日本が英連邦との関係強化に向かって進んでいることにも言及して、この知見に満ちた記事の結びとしている。まさに今日、世界が考えなければならない課題を一五年前に、これだけ明確に提言している。

帝国2・0を既に考えていたオックスフォード大学の学生

帝国2・0という発想の起源は一八七三年

この用語こそ用いなかったが、まさに帝国2・0を意味する議論が最初に行われたのが一八七三年であったことが、スペインの政治社会学者であるエドアルド・カンパネッラ（Edoardo Campanella）氏が二〇一九年十月二十四日にネット上で発表した論文"A Diminished Nation in Search of an Empire"から読み取れる。一八七三年にオックスフォード大学のディベート部（Oxford Union と呼ばれている）で行われたディベートにおいて英国の覇権についてが議題（motion）となった。どこまでも帝国であることを貫くという意見が優勢であった。「大英帝国として改善する（reform）」や「大英帝国として再構築する（reinvent）」という意見、まさに大英帝国を進化させた2・0を考えるという所見の説得力が優位であった。改善や再構築により世界の中心であり続ける、まさに帝国2・0に酷似した発想がここにあった。

現在、ジョンソン首相による Anglosphere 構想をもって新たな世界システムを構築し世界の中心であり続けるという構想が既にオックスフォード大学において一八七三年に存在していたことをカンパネッラ氏の論文から学べる。ヴィクトリア女王が君臨する大英帝国の黄金時代であった。

さすがに常に世界のトップの座を競う大学である。実は、キャメロン首相、メイ首相、そして現在のジョンソン首相と見事に三代続いてオックスフォード大学出身者である。しかも、キャメロン氏とジョンソン氏は学年は二年異なるが、同じ時代にディベート部で活躍していた仲である。二歳年上のジョンソン氏が主将を務めていた。二人が一緒に写っているディベート部の集合写真がネット上で公開されている。メイ前首相の夫のフィリップ・メイ氏もオックスフォード大学のディベート部で、しかも主将を務め、専門は政治学ということである。メイ首相にとられては、最良のアドバイザーであったことが想像できる。実際に彼のスピーチを聴く機会に恵まれた時に驚いた。兎に角、オックスフォード大学のディベート部は凄い。

公平であるために、ここでケンブリッジ大学のディベート部についても少し綴らせていただきたい。オックスフォードと同じくケンブリッジ・ユニオン（Cambridge Union）として活動している。政治系のディベートはオックスフォード大学ほどの勢いはないものの、動画を見ていると学ぶべきことが非常に多い。

二〇一八年十一月二十日に配信されたケンブリッジ・ユニオンのディベートにアメリカから招かれた論者の意見が、まさに英語圏に触れるものなので、それをお伝えしたい。その時の議題は「UK–US special relationship is over」（英国と米国の特別な関係は、もはや終わった）であった。アメリカから招かれた論者は「終わっていない」を主張した。彼の名はジェイ・ジョンソン（Jeh Johnson）で、オバマ政権において活躍した人で二〇一三年から二〇一七年までアメリカ合衆国国土安全保障長官を務めた人である。トランプ政権になって誰よりも早く政府の大役を辞任したことを誇らしげに語っていた。白人ではない彼は暗にトランプ氏の人種差別を批判するかのような語り口調であった。

ジェイ・ジョンソン氏の発言が感動的であった。アメリカが、かつての英国の植民地であったことを、これほど肯定的に捉えた発言に初めて出逢った。

（邦訳は筆者による）

UK gave birth to America. History cannot be erased.（注1）
We share common language. We share each other's value.
US and UK should work together to make a better world.

（UKのおかげでアメリカが誕生した。歴史を消し去ることはできない。
同じ言語を共有している。お互いの価値観を共有している。
より良い世界の構築のために共にあるべきである。）

アメリカと英国の「特別な関係」を力説して四巻の書籍*A History of the English-Speaking Peoples*（London: Cassell, 1956-1958）まで著わした、今は天国のウィンストン・チャーチルとチャーチルの信望者でチャーチルに関する書籍『チャーチル・ファクター　たった一人で歴史と世界を変える力』（プレジデント社、二〇一六年）を出版している現在の英国首相に聞かせたいような説得力と、特別な関係をもち続ける両国に対する愛のようなものすら、かつてのアメリカ国土安全保障長官の表情に表われていた。

帝国2・0には直結しないが、ジェイ・ジョンソン氏の発言が感動的であるのでオックスブリッジ両大学のディベート部に言及させていただいた。日本の大学の英語ディベート部も、この一〇年ほどで、相当な実力派が活躍するようになっており、頼もしい限りである。是非、第五章のテーマであるファイブ・アイズについて、日本と英語圏との今後の協力体制についてなどディベートしてほしいと切に願っている。

【注】

（1）議題の中でUKとなっているので論者がUKを使うのは当然のことであるが、厳密には英国がアメリカ大陸の植民地政策を開始した十六世紀後半は、まだUK（連合王国）にはなっていない。一七〇七年に合同法でイングランドとスコットランドが同じ王の下、グレートブリテン島の王国が成立し、一八〇一年に更にアイルランド（現在の南部の共和国も含め）を併合しUK（連合王国）となった。ウェールズは一五三六年にイングランドと併合している。

第三章　24億人の仲間がいる

第二章で英国の欧州連合離脱の一五年も前に、元英国上院議員であるデヴィッド・ハウエル氏が世界はコモンウェルス（英連邦）の存在意義に、もっと関心を向け大きな期待を抱くべきであると述べたことについてお伝えした。彼は二十一世紀に求められる国際協力のモデルとは、**コモンウェルスが象徴するようなネットワーク型であり、ピラミッド型からの思考のシフトが必要で**あることを主張している。

ピラミッド型ではないということを分かりやすく例えるならば、小さな家の裏庭にひっそりと咲く小さな花も、宮殿の庭に飾られた大輪の花も、それぞれの美しさ、植物としての命の尊さにおいては同等であり、そこには上級も下級もない、といったところであろう。もはや宗主国と被植民地という、かつての上下関係は解除されている。この現実を理解しようとしない人々が、**英国が再び支配力を享受することを願っているかのごとく、植民地主義時代に対する「ノスタルジー説」**や**「帝国２・０説」**を、いとも軽々しく口にする。

コモンウェルスの創設時から現在に至るまでを概観していただくのが本章の目的である。被植民地を再び支配しようとする野心とは無縁の新たなる関係を構築することにより、ピラミッド型ではないこの巨大な広がりが二十一世紀型の国際協力モデルとなり得る力を有していることを見ていただくことである。「搾取」「白人優位」という反人道的な歴史の側面を直視し認めた上で、今は「協調」という名の下、結束する仲間たちである。

コモンウェルスの結束を「英語圏の結束」と呼べるか否かは「英語圏」の定義次第であるが、定義が諸説あるので難しい。第四章で説明する予定であるが、ケンブリッジ大学のベル教授が定義に取り組んでいる。広義の定義では英国の植民地であった国すべてが「英語圏」に含まれるとのことである。アメリカやカナダやオーストラリアのように多言語国家ではあるが英語を第一言語とする国から、パプア・ニューギニアのように八〇〇近い民族が異なる言語を使う多言語国家において相互理解のために英語を公用語にしている国もある。このようなケースの言語はリンガ・フランカと呼ばれ、言語としての正確性より通じ合うことが重要視される。「英語圏」の定義がどうであろうと、コモンウェルス内での交流は英語で行われており、英語の存在意義は非常に大きい。「英語圏」の定義は流動的であっても、コモンウェルスについての説明には必ずと言ってよいほど「英語を共通言語とする」が含まれる。少なくとも、本書で言及する論文のすべてにおいて、この説明がなされている。

コモンウェルスは国連に次ぐ加盟者数を誇る規模の集合体である。邦訳で英連邦と呼ばれることの仲間たちは英国が欧州連合を離脱することを決めた後にも、英国を去っていくという裏切り行為はしなかった。現在でも平和な関係を維持している。正確な人数の把握は困難であるが、二四億人と言われている。

コモンウェルスについては、あまり広く認知されていないために、日本では邦訳の英連邦と英連合王国を混同してしまう人もいるようである。英連合王国というのはUK、つまり日本で言われるイギリスのことであり、英連邦は英国植民地政策によって築いた世界中に広がるネットワークである。大英帝国が世界の四分の一を支配下に治める「日の沈まぬ国」と呼ばれていた時代に構築したネットワークである。

コモンウェルス（英連邦）の基礎が築かれたのは、一九二六年のことである。約一〇〇年後の英国の欧州連合からの離脱のために準備されたかのような、この発想は、見事な先見の明、英国という国家の深層に息づいているバックキャスティングという特別な能力という風に思えてならない。

十九世紀末から、次第に陰りを帯び始め、二十世紀に入り二度の世界大戦を経て、輝く大英帝国は悲しい日没を見るに至った。植民地が次から次へと独立する中、この現実を見て英国のとった策が見事なバックキャスティングであった。**大英帝国の叡智である。**独立していく国々に対してに圧力を加えることもなく、対抗もせず、自由に独立を認め、**攻撃的な姿勢を見せぬまま輝く大英帝国の幕を下ろした。**やがて訪れるであろう新生帝国2・0の基盤を固めた上で。そして、未来のない終焉ではなく、日本語で言うところの「ご縁を大切にしましょう」といった柔らかな姿勢で巨大な協力組織であるコモンウェルスを構築した。規約を設けるようなハードパワーではなく、その名の通りお互いの平和と福利厚生だけを目的とするようなソフトパワーで、英国が栄光を維持することに成功している。独立によって共和国になった国もメンバーとして残っている。そして、既にご紹介したように、二〇二一年現在でも一五カ国もの国の元首としてエリザベス女王が君臨している。

資料の発行年によって加盟国の数が異なっているのは、脱退して再加入するようなケースがあるからで、特にアフリカの国々が様々な問題を抱え、自ら脱退を求めたり、連邦側がメンバーであるにはふさわしくない国政と判断して資格をはく奪することもあるが、殆どが再加盟を希望して戻ってくる。例えば南アフリカは人権問題という深刻な事情により一九六一年に脱退しているが、一九九四年に再加盟している。ナイジェリアも人権侵害の問題が深刻で一九九五年に資格停止になっているが、国の立て直しに伴い一九九九年に再加盟が認められている。ガンビアのように自ら脱退を求めるケースもあるが、二〇一三年に脱退を決めたジャメ政権が終わるとともに、二〇一八年に再加盟している。様々なケースがあり、再加盟ということに関しても寛大な措置をとっている。

再加盟していないのはアイルランド共和国とジンバブエである。異なる理由によるものである。アイルランド自由国として一九二二年に独立した後、しばらくは英連邦に残ったが、一九四九年に脱退。言うまでもなくイングランドに対する対立意識からである。ジンバブエは白人の農地を強制収容するという逆差別的な政策により二〇〇二年に資格停止を告げられている。その後、再加盟はしていない。

大英帝国時代に築いた五〇カ国以上の国々との国交が二十一世紀の今日、脈々と続いており、コモンウェルスはエリザベス女王を長とし、二四億人で世界平和に向けて協力しているのであるから、新生グローバル・ブリテン、つまり帝国2・0という認識は決して誇張でも揶揄でもなく、現実を直視しての表現と言って良いのではないだろうか。

ウェストミンスター憲章

英国と英国から独立していく国々は、もはや列強と被支配国という関係ではなく、「ゆるやかな関係」の仲間でいましょう、と制定したのが一九三一年のウェストミンスター憲章であったことは、学校の世界史で学ぶことである。しかし、もう少し詳しく説明するならば、コモンウェルスの起源は一九二六年に遡る。

国王の諮問機関である枢密院の議長であり、元外相も務めたアーサー・バルフォア伯爵により作成されたバルフォア報告書というのがコモンウェルス（英連邦）と呼ばれる仲間組織の起源である。六カ国のドミニオンと呼ばれる植民地の中でも別格扱いされ自治権を与えられた国から五名の首相（オーストラリア首相が欠席）と英国のボールドウィン首相に英国王ジョージ五世とバルフォア伯爵の八名で会議が行われた。その会議においてバルフォア伯が次のような報告をした。この時の文書は現在オーストラリアの旧議会内にある記念館で閲覧することができる。次の三点が報告の中核である。

1．自治領は英国と同等の関係にあり、従属関係をもたない
2．英国王の王冠に対する共通の忠誠心によって結束するものである
3．名称をBritish Commonwealth of Nations（英連邦）とする

対象となっているドミニオンと呼ばれる自治領とは次の六カ国である。いずれも白人支配の国であるために、この時点で既に人種差別と批判され得る。また、決してあらゆる面で同等というわけではなかったことなどへの批判もあるが、右の二番目の項目が、いかにも英国らしい。

カナダ
オーストラリア連邦
ニュージーランド
南アフリカ連邦
アイルランド自由国
ニューファンドランド

ニューファンドランドとはカナダ東海岸に位置する島国であった。現在はカナダに属しニューファンドランド・ラブラドール州となっている。「最古の大英帝国植民地」であり「最も新しいカナダの州」として知られている。

バルフォア報告書を基にして、一九三一年に十二条から成るウェストミンスター憲章（The Charter or Westminster）として制定された。更に改善が加えられ、現在のコモンウェルスは実際には一九四九年のロンドン宣言と、その内容を再定義する形のシンガポール宣言に基づいている。

インドは一九四七年にドミニオンとなり、他のドミニオン同様、英国王の王冠への忠誠心を誓ったが、一九四九年には共和国となった。このような共和国となった国が英国の君主への忠誠心を誓うことなくコモンウェルスに留まることを可能にするために、一九四九年のロンドン宣言においては、バルフォア報告書の時の名称の頭の British を削除して Commonwealth of Nations もしくは略して The Commonwealth と呼ばれるようになった。更にシンガポール宣言においてコモンウェルスは次のように再定義された。

すべての国が対等の立場である
（ドミニオンに限定されないということ）
国際的な理解と世界平和を目的とする
協議と協力を基本とする
独立主権国による集団である

くどくど解説したが、要は現在の二四億人の大家族に至るまでにはウェストミンスター憲章だけではなく、次の四つの段階を経た入念なものであったことをお知らせしたかった。「ゆるやかな関係」という表現が一般に用いられるが、この表現から想像されるような曖昧模糊とした関係ではなく、しっかりとした約束事の上に築かれた仲間たちの協力体制である。約束であり、拘束とは異質の決め事である。

一九二六年　バルフォア伯爵による報告
一九三一年　ウェストミンスター憲章
一九四九年　ロンドン宣言
一九七一年　シンガポール宣言

カナダ、オーストラリア、ニュージーランドは二十一世紀に入って二〇年以上経過した現在でも英国王、エリザベス女王を自国の元首としている。すべての式典に元首である女王が出席することは不可能であるため、それぞれの国に総督（Governour）と称する役職が設けられ女王の代理を務めている。既に触れたように、二〇二一年現在、エリザベス女王は英国を含め一五カ国の元首として君臨している。

英国の植民地でなかった国がコモンウェルスへの加盟を希望して認められていることも特記に

値すると思う。ポルトガルの植民地であったモザンビークが一九九五年に、そしてドイツの植民地からベルギーの植民地となったルワンダが二〇〇九年に加盟している。勿論、加盟国によって英国に対する思いに温度差はある。この度の欧州連合離脱という大きな方向転換に関する反応も様々である。例えば、*The British Academy Review* No.31 に投稿された論文の中で次のようなことが伝えられている。

（邦訳は筆者による）

コモンウェルスの国々の一部のリーダーたちは植民地時代に受けた英帝国による搾取の記憶を思い起こし、この帝国との新しい貿易協定が自国の経済に悪影響を及ぼすのではないかという懸念を表明している。欧州連合離脱後のグローバル・ブリテン構想は Empire 2.0 に近いという懸念もある。インドの政治家、シャシ・タルール（Shashi Tharoor）氏は、欧州連合を離脱した後の英国政府は、まるでノスタルジアゆえの健忘症を患ったかのように植民地時代の後になすべき責任のことを忘れてしまったようだ、と論じている。

かなり辛辣な批判であるが、インドは南アフリカと並んで、コモンウェルスの中でもアンチ・

アングロサクソンの傾向が一部では強い国家であり、二十世紀半ばの独立後には「英語廃止論」まで出ている国であるから致し方ないかもしれない。あくまでもインドの一部の人々である。

このような懸念の声はあるものの、インドのような対立感情のある国は例外であり、歴史が築いた絆の強さ、そしてイングランドが基点となり拡散して普及した英語で交流できるという仲間意識、つまり英語と言う言語の恩恵は大きい。ベルギーの植民地であったルワンダ共和国はルワンダ語とフランス語を公用語としていたが、英国の植民地ではなかったにも拘わらず英語を公用語に加え、コモンウェルスに加盟した。このような例も忘れてはならないと思う。

二年に一度、コモンウェルス首脳会議が開かれる。第二六回首脳会議が二〇二一年六月にルワンダで行われる予定である。そして、その前の二〇一八年の開催国は英国であり、四月に二日間ロンドンで開催された。四七カ国から国家首長、更に七カ国からは外務大臣が訪れ、九十二歳になるエリザベス女王とテリーザ・メイ首相が迎えた。**欧州連合からの離脱が決定した後にも、これだけの家族が集合するという事実がコモンウェルスの存在意義の証であろう。**

一九二六年にたった六カ国のドミニオンから始まった、規則で拘束することのない家族的集団が、いまや五四カ国、二四億人を抱える大家族となっている。クーデターを起こしたり、人権侵害行為で資格をはく奪された国々が国政を正して再加盟する。政治的な思惑あってのことかもしれないが、いずれにしても、コモンウェルスの存在は非常に大きく、メンバーでいたい願望は強い。いくつかの例が示すように、コモンウェルスは、邪悪な行為を犯した国が人道的な正道に向かうための助けになっている。そして今、英国が欧州連合を離脱した後の混乱の中、今度は英国にとってコモンウェルスの存在が非常に大きな助けとなっている。一九二六年の**バルフォア伯爵による、約一〇〇年後の愛する国の姿を見抜いたかのような見事な先見の明が、二四億人もの仲間を結集させる始まりとなった。**

CANZUK

バルフォア報告書及びウェストミンスター憲章において、一般の植民地とは別格の扱いを受けたドミニオンの中の三カ国の国名の頭文字とUKを合わせたCANZUKという用語が一九六〇年代に造語された。Canada, Australia, New Zealand そして最後にＵＫをつけた用語である。

これは決して二十世紀になって唐突に現れた発想ではなく、既に十九世紀ヴィクトリア女王の時代から存在していた。従って Anglosphere という用語は新しくとも、この概念は既に十九世紀には存在した。特に白人主義者の間では重視されていた。例えば歴史家のジョン・シーリー（John Seeley）である。彼は一八九一年に「イングランドの膨張」（The expansion of Britain）という講義に中で「より大きなブリテン」（Greater Britain）という発想を広めた。彼はイングランド、カナダ、オーストラリア、ニュージーランドという白人自治領の統合を進めるべきであることを主張している。ヴィクトリア女王は一八七七年にインドの女帝としても即位し、インドは植民地帝国と言われていた。シーリーの主張にはインド帝国より、白人自治領の方がイングランドにとっては重要という人種主義的要素が多分に含まれていた。キャメロン元首相もメイ前首相も人種的要素を省いた形での「Greater Britain」「more global Britain」を主張していたことはご承知の通りである。

研究者の間にはＣＡＮＺＵＫの捉え方が大きく二通りに分かれる。十九世紀の歴史学者シーリー氏のように、あくまでも大英帝国の延長上にある遺産として捉える姿勢と、次世代の新しいタイプの外交という捉え方である。歴史から離れ新しいタイプの外交を代表するのが英国の経済学者アンドリュー・リリコ（Andrew Lilico）氏であり、彼らはＣＡＮＺＵＫを帝国主義の延長上で捉えたり、白人優位の White Man's Club と皮肉を言うことは正しくないと主張する。リリコ氏は欧州連合からの離脱支持者たちのシニア・アドバイザーを務めた人物として知られている。大英帝国の遺産と捉える代表的な存在はアンドリュー・ロバーツ（Andrew Roberts）氏である。ロバーツ氏いわく、ＣＡＮＺＵＫは十九世紀から二十世紀初頭に植民地大臣として活躍したジョセフ・チェンバレン（Joseph Chamberlain）の夢が具現化されたものである、という見方をしている。彼はＣＡＮＺＵＫをどこまでも大英帝国の誇りの延長上にある国々という考えを抱いている。

アンドリュー・ロバーツ氏は英国を代表する歴史学者及びジャーナリストで、ケンブリッジ大学で近代史の博士号を取得後、ロンドン大学で戦争史を教えている。他の多くの学者同様、ウィンストン・チャーチルの信奉者である。チャーチルの *A History of the English-Speaking Peoples*（London: Cassell, 1956-1958）の続編という意図で、*A History of the English-Speaking Peoples after 1900*（New York: Harper Collins, 2007）という書を著わしている。彼の主張は次の通りである。Ｃ

ＡＮＺＵＫの重要性を強調しながらも、すべての植民地に共通するのは英語という言語であることを示唆する見解である。

（邦訳は筆者による）

English-speaking colonization has succeeded triumphally, and represents the last, best hope for Mankind.

（英語を話すことで植民地化を進めることは見事に成功し、これが人類にとっての最後の、そして最善の希望を象徴している。）

ロバーツ氏は、英国の欧州連合離脱を受けてＣＡＮＺＵＫが活躍の場を得たこと、そして世界で三番目に強い経済圏になる力を備えていることを、英紙『デイリー・テレグラフ』、二〇一六年九月十六日付で述べている。チャーチルが一九四八年に描いた次の「三つのサークル」は広く知られているが、チャーチルの夢を叶えるべくロバーツ氏もアメリカ・ヨーロッパ・英連邦を世界の三つの柱としている。

図2　チャーシルによる有名な三つのサークル

（　　）内は筆者の説明

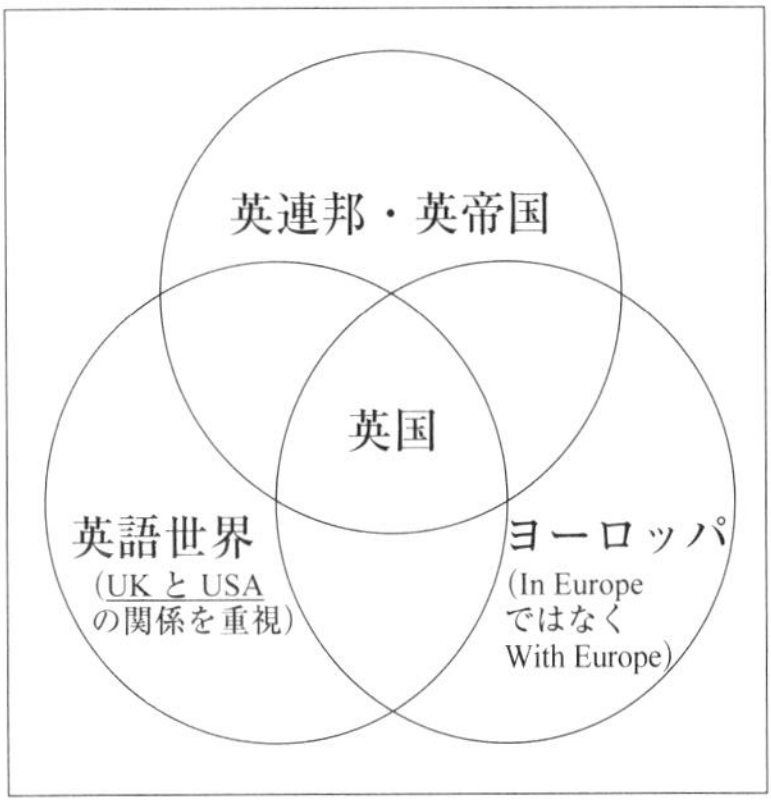

英国はこの三つのサークルのすべてに関わっていることで国際的な力を発揮できるというのがチャーチルの信念であった。彼にとって三つのサークルは等価ではなく、最も重要視したのは、英連邦・英帝国のサークルであった。

↓ 筆者により CANZUK 支持者の考えを反映させた図

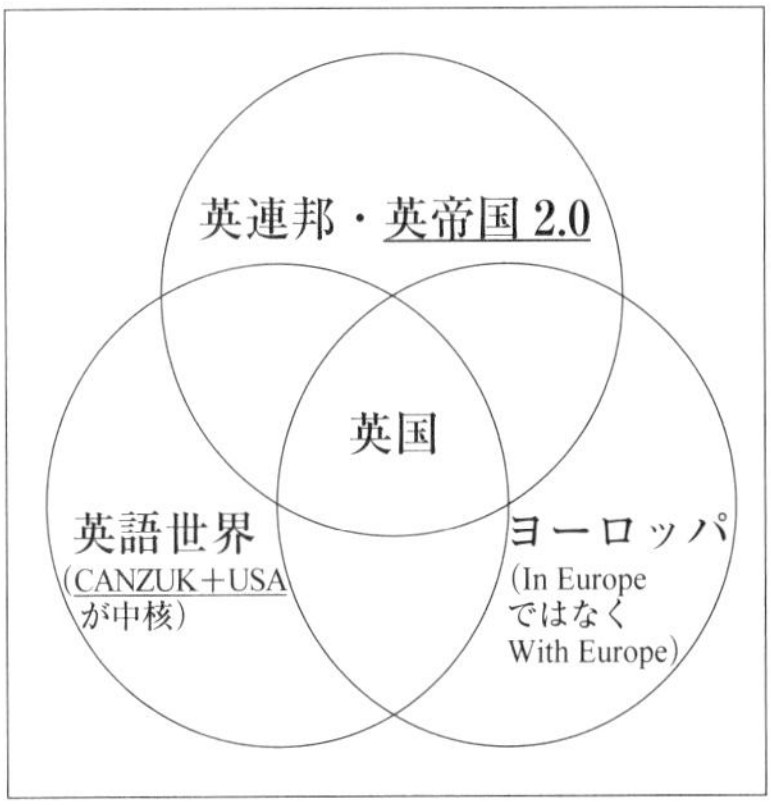

（木畑洋一著『世界史リブレット人 97 チャーチルイギリス帝国と歩んだ男』山川出版社、2016 年を参考に作成。筆者が解説とアレンジを加えた）

英語という言語の役割は、この図からはっきりと読み取れることであるが、それと同時に、ここから学ぶべきことは、元英国首相チャーチルも現在の歴史学者も英国を欧州の一部という考え方は決してしていないことである。

チャーチルがコモンウェルス（英連邦）を重視していたことは一九五一年十一月に作成した覚書において英国は統合された欧州（United Europe）の一員にはならないことを記す際も、「英連邦としても、一国という単位でも」といった風に、常に念頭にコモンウェルス（英連邦）を置いていたことからも明らかである。

植民地においては英語を公用語にすることが義務づけられた。しかし、英語の浸透率は、まちまちである。ごく上層部の人のみが使いこなせる言語であった国もあれば、広範な地域に英語が浸透した国もある。入植した英国人（厳密にはアングロ・サクソン人）の英語に極めて近い英語が普及した国もあれば、相当な変容を経て、その土地の人でなければ通用しないレベルにまで現地化が進んだ国もある。

独立後は国家として英語を奨励し続ける国もあれば、自国の言語に回帰することの方がより重要であるとする国もある。つまり、植民地時代に英語という言語が英国の外に向かって拡散し普及し、浸透し、そして現地化が進むという自然な流れがあった。英語の浸透率、英語の現地化、そして独立後の対策に至るまで、国によってかなり異なる様相を呈した。英語の役割に関しては千差万別であり、英国側は、その点に関しても規制は設けず、独立していく元植民地側の自由意思に任せた。

第四章　Anglosphere（英語圏）という課題に火がついた

スペインの経済学者であるエドアルド・カンパネッラ（Edoardo Campanella）氏が*Foreign Affairs*というオンライン論文において、英国の欧州連合からの離脱を機に**Anglosphere の再構成が現実味を帯び始め、新たな世界の協調モデルが生まれる可能性がある**、と述べている。

まずは、本書の「はじめに」でご紹介した二〇一九年にオックスフォード大学出版社から出版された一六名の研究者による共著について解説させていただきたい。書名は*The Anglosphere: Continuity, Dissonance and Location*であり、書名に Anglosphere と銘打って、これほどまでに詳細な分析を発表する書はこれまでには存在せず、非常に情報量の豊かな名著である。

この書の編者であり、執筆者でもあるオーストラリアのモナシュ大学の国際政治学の講師、ベン・ウェリングス（Ben Wellings）氏と英国のハダースフィールド大学の政治学者、アンドリュー・マイコック（Andrew Mycock）氏は、同書のイントロダクションをも担当している。英国の欧州連合離脱によって Anglosphere という用語とその考え方が世界的に突出した関心事となったことが予想外であったと、このイントロダクションにおいて述べている。

また、このイントロダクションで Anglosphere という用語の定義は曖昧で流動的（ambiguous and fluid）であり、英語圏の中核五カ国を指すこともあれば、時として本書の第三章の課題であるコモンウェルスの国々すべてを包括することもあり、更にはコモンウェルスの国でなくとも、英語が日常言語となっている国の総称であったりもする、と書かれている。これだけ定義が不明な用語が多くの学者たちの関心をひくというのは、確かに予想していなかったことだろう。実は、定義が曖昧であるのには理由がある。追って説明させていただく。

著者一六名の見解のすべてを本書でご紹介することは混乱を招くばかりで、あまり意義のあることとは思えないので、まずは Anglosphere という用語に関して本書において解説する義務があると考える点を抜粋してお伝えしたい。

Anglosphere の周辺に渦巻くプライドと攻撃

同書のイントロダクションを担当した二人の学者の知見に満ちた提言の中でも特に勉強になったのは次の考え方である。**Anglosphere という用語は国々を「繋ぐ力」と「引き離す力」（bind and divide transnational ties）の両面を持ち合わせている。**それはなぜなのだろうか。その解答は容易に見出せる。語の冒頭が Anglo だからである。従って、**Anglosphere という語の周辺にはアングロ・サクソン系の人々のプライドと反アングロ・サクソン系の人々の中傷、攻撃が渦巻いている。**

アングロ、もしくはアングロ・サクソンという用語は英連合王国（UK）の中のイングランドだけを指す。従ってイングランドのプライドの証となり、そして植民地政策時代に七つの海を渡って広めたネットワーク内の人々との絆、特に英語圏の中核とされる国々との間の太く頑丈な「繋ぐ力」となっている。一方で、英国内においてすら多く存在しているアンチ・イングランド、もしくはアンチ・英国政府にとっては「引き離す力」として露呈する。

Anglosphereという英単語が「英語圏」と訳されど、この語はアングロ・サクソン系を色濃く呈するものである。従って、この語には、かつての植民地政策で世界を謳歌した大英帝国が世界の中心というニュアンスが張り付いてしまっている。多くの国々、とりわけ英国以外の列強と呼ばれていた国々や一部の植民地の人々の感情を掻き立てる用語にもなり得てしまうわけである。連合王国であるので、イングランド以外の地域からの風当たりも強い。アングロ・サクソンとイングランドは、ほぼ同義に使われる用語ではあるが、イングランドからの移民が多いアメリカ合衆国のようにアングロ・サクソン系の人々が多く住んでいるアングロ・サクソン系国家もあるので、完全なる同義扱いは避けなければいけない。

アングロ・サクソンとイングランドの関係を、これ以上あり得ないほど簡潔に説明すると、ブリテン島には紀元前よりブリトン人というケルト系の民族が住んでいた。五世紀半ばになって大陸の現在のドイツの北部あたりからアングル人、サクソン人、ジュート人という部族がイングランドにやってきた。これがイングランド人をアングロ・サクソンと称する起源となる。彼らにとって**大陸の一部の地域語であった言語が、イングランドにわたり、その地域語がイングランド王国の英語という言語として成立したわけである。**ルーツは大陸ではあったが、英語の発祥の地は連合王国の中のイングランドと言える。英語はイングランドが誇りとする無形財産である（ただし、現代語と異なる古英語であった）。歴史に関する詳細は大沢一雄氏による『アングロ・サクソン年代記』（朝日出版社、二〇一二年）をご参照いただきたい。

Anglosphereは、あっという間に学術用語になってしまった

定義が曖昧、流動的であることは以下をお読みになれば、「ご尤も」とため息が出ることだろう。数多くの高名な学者陣が取り組んでいる用語であるので、確固たる学術用語という印象を受けるAnglosphereであるが、実はこの用語の歴史は非常に浅い。英単語として認められ辞書に載せられたのは、二〇〇七年という、ごく最近のことで、それまではSF小説や、そのSFを基に作られるゲームの用語であった。

辞書に載ったのが最近ということも意外であるが、最初に使われた環境も奇想天外である。アメリカのSF作家であるニール・スティーヴンソンが一九九五年に出版した人気SF小説『ダ

イヤモンド・エイジ』(*The Diamond Age: Or, A Young Lady's Illustrated Primer*, New York: Bantam Spectra)の中でAnglosphereを最初に使った。日本語にも訳されているSF小説(早川書房、二〇〇一年)である。大雑把に説明してしまうと、世界は国家単位ではなく、人種、宗教、主義、その他共有するものによって、いくつかの集合体から形成される、という発想に基づいて、アングロ・サクソン系集合体をAnglosphereとしている。近未来を物語の舞台とし、貧富の差、教育の差などに触れ、社会学的側面をもつSF小説として大層、人気があるようだ。

このSF小説で使われた用語が初めて*The Shorter Oxford English Dictionary*(Oxford: Oxford University Press)にエントリーしたのが二〇〇七年のことである。次のように非常に単純な定義である。

the group of countries where English is the main native language

直訳すると「英語を主要な母語とする国家の集合体」となるが、要するに「英語を母語とする人々が主体となっている国家の集合体」といった意味であろう。これ以降、書名にAnglosphere

を含む書が数冊、出版されている。いずれも経済や国際外交の専門家たちが著わしたものである。あっという間に、ＳＦの世界とは無縁の学術用語として使われるようになった。

二〇〇七年に辞書に載った用語が二〇一一年には既に学術用語として動かぬ地位を得た。カナダのオタワ大学准教授、スルジャン・ブセティッチ（Srdjan Vucetic）氏による次の書がスタンフォード大学出版社から出版された。*The Anglosphere: A Genealogy of a Racialized identity in International Relations*

彼は Anglosphere を白人優位を露出する用語として捉えている。これ以降、ＳＦ小説出身のこの用語が伝達するであろう概念に対して、多くの批判的な見解を示す研究者と極めて肯定的に受け止める研究者の双方により、多くの論文が発表されるようになった。

ダンカン・ベル教授による Anglosphere の定義の試み

ケンブリッジ大学教授のダンカン・ベル（Duncan Bell）氏は Anglosphere に関して精力的に論文を発表しており、本章の冒頭で紹介した一六名の共著においても、とりわけ熱意を感じさせる理論を発表している。彼の論文タイトルは“Anglosphere: the Empire Redivivus?”というもので、ケンブリッジ学者が好むラテン語を使っているが、意味は「帝国は revive するか？」つまり「帝国は蘇るか？」といった深刻なものである。ダンカン教授の迫力のある分析を読むと、Anglosphere という用語が長きにわたって使われていた学術用語のような印象を受け、この用語が辞書に載ったのが二〇〇七年ということを疑いたくなるほどである。定義の試みにあたって、彼は Model という用語を用いている。

ベル教授の定義の試みは、定義が流動的な用語を学術用語として使うことに対する抵抗ゆえかもしれない。とても一筋縄ではいかぬ用語であると判断したのか三つの解釈の型を提示して、モデルという用語を使っている。

（1）帝国モデル（**Empire Model**）

これは、英国の植民地であった国々のすべてを包括する。そして二十世紀になってからのアメリカとの関係を特に重視する。

（ここでベル氏は触れていないが、帝国モデルにおいては、植民地において英語使用が強要されたこと、そして英語を話せる上層部と、英語とは無縁な庶民との格差を生んでしまったことも Empire 2.0 の揶揄の要因になっている。）

（2）入植者移住モデル（**Settler Colonial Model**）

限られた植民地を指す。入植者たちが植民地に留まり、新しい国家を形成したケースである。Anglosphere の中核に位置する国家はまず英国、そしてアメリカ、カナダ、オーストラリア、ニュージーランドである。周辺部にアイルランド、シンガポール、カリブ諸国を含めることも可能とする。

英国とオセアニア諸国との協力を重視する学者であるロバート・コンクエスト（Robert

Conquest）氏がこれをアングロ・オセアニック政治協定と呼ぶことを提言していることにベル教授は触れている（コンクエスト氏の論文は "Toward an English-Speaking Union", *The National Interest* 57, 1999）。

（3）帝国連邦モデル（**Imperial Federal Model**）

（2）で示した中核のモデルからアメリカを除いた国々、カナダ、オーストラリア、ニュージーランドである。そしてこれにUKを加えた総称であるCANZUKの四カ国が次世代の世界の中核となると力説する。（2）の中核国からアメリカを除いた理由である。CANZUKの最大の特徴は、すべてが国家の元首としてエリザベス女王が君臨しているという国家体制である。この観点からはアメリカは異質の国家である。

エリザベス女王は大英帝国の終焉から一〇〇年以上経過した二十一世紀にも一五カ国の国家元首である（二〇二〇年までは一六カ国であったが、二〇二一年からバルバドスが共和制に移行し国家元首を自国の者が務めることを英国が認めたため）。

Anglosphere の定義をすることは極めて難しいゆえ、モデルと称される三つの解釈を考慮する必要がある、というのがベル教授の考えであるが、却って混乱してしまい、「理解不能」感が強まってしまったかもしれない。彼の言うモデルと日本語の「英語圏」という用語の関わり合いを基に解説し直す必要があるかもしれない。少し換言して、もう一度、三つのモデルを見ていきたい。（2）が少々厄介である。

（1）は植民地のすべてを包括するというモデルである。しかし植民地の下層部の人々には英語はいきわたらなかったので、この場合には「英語圏」というより、むしろイングランドに支配されていた「アングロ・サクソン圏」という意味合いが根をはったAnglosphere解釈である。

（2）のモデルにおいては中核と周辺に分けている。中核とは特定の植民地だけに使われるモデルである。具体的にはアメリカ、カナダ、オーストラリア、ニュージーランドである。これらの国では英語が第一言語とされるので「英語圏」という訳語が該当するかと思う。周辺部としてアイルランド共和国、シンガポール、カリブ諸国を含むことが可能である、としている。

周辺部として、ベル教授は敢えて理解が難しい国を挙げている。何か意図があるのだろうか。アイルランド共和国の住民は英語で生活をしているにもかかわらず、第一公用語をアイルランド語（ケルト語系ゲール語と呼ばれる言語）としている。欧州連合に登録する言語も「英語」ではなくアイルランド語にしている。この言語で暮らしている住民は人口の一パーセントにも満たないのが現実である。そこまでして「英語圏」である隣国とは離れた存在でいることを望んでいる。「アングロ・サクソン圏」にされることは、一層強く拒んでいる。実際には、かつてイングランドの領地であったが、一九二二年にアイルランド自由国として独立している。暫くはコモンウェルスの一員であったが、それすらも一九四九年に脱会している。「われわれは英連合王国とは全く関係ないのです」と世界中の人が見えるくらい大きな看板を立てたようなものだ。その後、半世紀近く英連合王国である北アイルランドを攻撃し続けた。一九九八年の武装解除にいたるまでに北アイルランド人がアイルランド共和国の武装集団（ＩＲＡ）に殺害された数は三〇〇〇人以上というのが一般の報道である。

シンガポールの言語事情も非常に複雑である。本来、英語はあくまでもリンガ・フランカであった。リンガ・フランカというのは異なる複数の民族で構成される国において、国家形成の上で互いに語り合うことが必要であるために使われる言語のことである。フランス語やスペイン語など、他の言語をリンガ・フランカとしている国も多くある。シンガポールはタミル語、マレー語、中国語を公用語としているが、コモンウェルスの一員でもあるので、リンガ・フランカとして英語が公用語に加えられている。一部のシンガポール人は自分たちで通じ合えば良いとばかりに、英語を現地化してシングリッシュと呼ばれる不思議な英語を話している。一方、英語を母語とする多くの人々が主にビジネスの目的で移民しているので、「英語圏」の様相を呈するようになってきている。彼らは「シンガポールは英語圏」と断言する。歴史的な背景を考慮すると、この断言を受け入れるべきか否かは難しい判断になる。

カリブ諸国に関しては英語の普及率は様々である。例えば、二〇二一年四月に火山が爆発したセントビンセント・グレナディーンはコモンウェルスの一員であり、かつエリザベス女王を君主として忠誠を誓った国である。セントビンセント島とグレナディーン諸島から成り、約七〇%がアフリカ系黒人で構成される国である。セントビンセント島における火山爆発の際、インタビューに答える黒人の人々の英語は明らかなるブリティッシュ・イングリッシュであった。島の人々が全員そういう英語ではないのかもしれないが、政治と言語の密接な関わりを学ぶことができた。

爆発による死傷者がなかったことが何よりである。

（2）のモデルが最も煩雑なのであるが、簡単に言ってしまうと、ここで言う中核国CANZUKプラスアメリカは「英語圏」であり、かつ「アングロ・サクソン圏」でもある。一方、周辺国はアイルランド共和国を含めている以上「英語圏」と「アングロ・サクソン圏」のどちらも該当しない。アイルランド共和国においては殆どの人々が英語で暮らしている現実を見れば「英語圏」になるのだが、彼らが「英語圏」と呼ばれることをかたくなに拒んでいるので、それでも「英語圏」と呼べば、これは一種の人権侵害に近い。この点はベル教授の分析に反論したい。

（2）の中核国に関して注意が必要なのは、中核とされるすべての国が多言語国家であり、複数の言語が共存していることである。アメリカでは州により第一公用語が英語でなかったり、またニューヨーク州、ペンシルベニア州、テキサス州の三つの州では法令として州の公用語を指定していない。つまり英語が公用語と指定されていない。カナダの場合にはケベック州はフランス領土であったためにフランス語が公用語とされ、英語は第二公用語にすら指定されていない。（2）のモデルが政治と言語の絡み合いを最も顕著に表わしている。

（3）のモデルは多くの解説を要しない。（2）で示した中核国から英国の女王を元首としていないアメリカ合衆国を除いた国々のことである。つまり英国に対して忠誠心が最も強い生粋なる「アングロ・サクソン圏」であり、かつ疑う余地のない「英語圏」である。

本章の冒頭で触れたイタリアのカンパネッラ氏の発想である「英国の欧州連合離脱を機に新たな世界の協調モデル」が生まれるかもしれない、が確かに現実味を帯びてきたのかもしれない。日本では「遠い親戚より近くの他人」というのを耳にする。**英国にとって頼れるのは「遠い親戚」のコモンウェルスの国々と「遠い他人」である極東の日本である。地理的にはどちらも非常に「遠い」。しかし信頼という心の距離が非常に近くなった。**一方で、地理的に極めて近いところで反・英国政府に包囲されている。同じ国の中にすらイングランドに対する対立感情がある。海を渡った欧州連合とは今後も大切なパートナーとして仲良くしたい、と英国政府は謳っているが、欧州連合側では、いまだ怒りと不快感は払拭されていない様子が窺える。英国のドーバー港からフランスのカリー港までの直線距離はたったの三四キロである。泳いで到着できるくらいの距離である。**現状では「近くの他人」も「近くの親戚」もどちらにも頼れぬ状況がある。これが英連合王国を代表するイングランドの宿命なのだろう。**

ダンカン・ベル教授の定義の試みによって、Anglosphere の定義が確定するに近づいたとは考え難いが、唯一明らかになった点は「英語圏」という用語で示される領域の中核を成す国が次の五カ国であることである。

英国
アメリカ合衆国
カナダ
オーストラリア
ニュージーランド

あくまでも**「中核」という極めて狭義の解釈**であることを念頭に置いておくべきである。本書の「はじめに」の問いに対して「地球が丸ごと英語圏」とお考えになった方も決して誤りではない。特にインドと南アフリカは英語圏の中核としても良いほど英語が普及している一方、一部で強い反・英国政府感情を抱く人々がいることや、インドは英語廃止運動まで行ったことがある国である。一六名の共著の編者でもあるマイコック氏とウェリングス氏も二〇一七年秋号

British Academic Review の二人の共著論文 "The Anglosphere: Past, Present, and Futureno" の中で Anglosphere を論じるに当たってインド、シンガポール、アイルランド、南アフリカの位置を定めることは非常に難しいと綴っている。

ＣＡＮＺＵＫ　二十一世紀のスーパーパワー候補

ＣＡＮＺＵＫというアクロニム（頭文字を並べた形態の語）の創始者はニュージーランド出身の歴史学者、ウィリアム・マッキンタイア（William McIntyre）氏である。一九六六年に出版された彼の著書 *Colonies into Commonwealth*（London: Blandford Press, 1966）の中で初めて出現した四カ国の国家の集合名である。ダンカン・ベル教授による三番目のモデルである。ＣＡＮＺＵＫが次第にビジネスを始めとする様々な分野から注目を浴びるようになる。二〇一五年にはカナダのバンクーバー在住の法律家、ジェームス・スキナー（James Skinner）氏がＣＡＮＺＵＫインターナショナルを創設し、ＣＡＮＺＵＫ内の自由な移動を主張し、英国政府に、彼の考えは認められている。

欧州連合の特徴は「ヒト・モノ・カネ」の自由な移動であった。スキナー氏をはじめとするCANZUKの推進者はモノとカネの移動を合体させ「貿易」と称し、「人の移動の自由」は欧州連合と同様の表現を使った。しかし、これに加え、CANZUKだけが誇りとする要因がある。次の二点である。

- **英語という「繋ぐ力」**
- セキュリティの強化

英国を含め四カ国のすべてが多言語国家であるが、英語を第一言語としている、そして英語を母語とする政治家によって治められている。Anglosphereを「英語圏」と訳そうが「アングロ・サクソン圏」と訳そうが、どちらの場合でもCANZUKがAnglosphereの中核であることは否めない。カナダ、オーストラリア、ニュージーランドのすべてが英国王を元首として忠誠を誓っているので、この現実が根拠となり「アングロ・サクソン圏」と称されても問題の起きない国である。CANZUK内で、これを問題視する人々は、何らかの理由があって強い反アングロ・サクソンの思想を持つ人々のみである。セキュリティに関してはアメリカの協力が加わり第五章の課題であるファイブ・アイズの活動が注目に値する。

ＣＡＮＺＵＫの重要性を主張する第一人者と言えるのはアンドリュー・ロバーツ（Andrew Roberts）氏である。近代史を専門とし、ケンブリッジ大学で博士号を取得している。歴史学者でありジャーナリストでもあり、かつロンドン大学の客員教授で主に戦争学を教えている。彼は作家でもあり、彼が執筆した二冊の書が日本語に翻訳され販売されているので既に日本にもファンがいる研究者である。彼の著書『戦時リーダーシップ論──歴史をつくった九人の教訓』（白水社、二〇二〇年）と『世界に「もし」があったなら──スペイン無敵艦隊イングランド上陸からゴア米大統領の9・11まで』（バベルプレス、二〇〇六年）をご存知のかたも多いと思う。彼の著書 *The Storm of War: A New History of the Second World War*（London: Penguin Books Allen Lane, 2009）は翌年二〇一〇年に英国陸軍より軍事 Book of the Year を受賞している。

ウィンストン・チャーチルの理想と重なる

アンドリュー・ロバーツ氏の多くの著書の中でＣＡＮＺＵＫの研究者たちに最も頻繁に言及されるのは *A History of the English-Speaking Peoples since 1900*（London: Harper Perennial, 2006 及び New York: Harper Collins, 2007）である。書名から明らかな通り、これはウィンストン・チャーチルが一九五六年から一九五八年にかけて著わした *A History of the English-Speaking Peoples* を意識したものである。ロバーツ氏は、ＣＡＮＺＵＫの重要性を強調しながらも、**すべての元植民地は英語という言語をもって結束していると主張する。**

ロバーツ氏は英国の欧州連合からの離脱を受けてＣＡＮＺＵＫが活躍の場を得たこと、そして世界で三番目の強い経済圏になる力を備えていることを二〇一六年九月十六日付の『デイリー・テレグラフ』紙で述べている。そして彼はウィンストン・チャーチルの夢を叶えるべく、チャーチルが唱えた世界の三つの柱になぞらえてＣＡＮＺＵＫを織り込んでチャーチルの考えの具現化を目標にしている。

七九頁で示した図の復習になってしまうが、チャーチルの有名な「三つのサークル」は英連邦の結束、英語の世界（英国とアメリカを意味する）、そして統合された欧州である。英連邦と英語の世界には英国は内なる存在であるが、統合された欧州とは友であり、英国はその外にある、というのがチャーチルの理想である。ロバーツ氏はチャーチルの理想の中にはまだ芽生えていなかったＣＡＮＺＵＫが将来の西洋文明の三つの支柱（pillar）になり得ることを述べている。**これからの西洋文明の三つの柱とはＣＡＮＺＵＫ、アメリカ、ヨーロッパというのが彼の理想である。**ここで興味深い点はロバーツ氏もチャーチル同様「英国はヨーロッパにはあらず」を示唆していた。英国をヨーロッパの外に位置させている。日本における英国外交史の第一人者である慶應義塾大学の細谷雄一教授も二〇〇一年の論文（注1）において次のように解説している。是非、英国の欧州連合離脱に批判的な人々に知っていただきたい重要な所見である。

実際にチャーチルが念頭に置いていたものは、「英連邦」と同様な、政府間協力に近いものであったのだ。決して主権国家の独立を脅かすような超国家的な欧州連邦を想定していたわけではない。

ロバーツ氏は二〇一六年九月十六日付の英国紙『デイリー・テレグラフ』において欧州離脱（Brexit）案を賞賛した上で、CANZUKが将来の西洋文明の三つの支柱になることを主張している。また彼は二〇二〇年八月八日付の『ウォール・ストリート・ジャーナル』のオンライン版で発表した記事が大きな反響を呼んだ。ご覧になった方も多いかと思うが、冒頭の絵はウィンストン・チャーチルが国旗の絵が描かれた四つの風船を掲げてピースサインで誇りに満ちた笑顔を見せている。その国旗はカナダ、オーストラリア、ニュージーランド、そしてUKまさにCANZUKである。この記事のタイトルは、「Anglosphereを再興する時がきている」といったものである。ロバーツ氏がここで用いているAnglosphereはダンカン・ベル教授の三番目のモデルであるCANZUKを意図している。

It's Time to Revive the Anglosphere

補足的な情報であるが、チャーチルは一九五一年十一月に作成した覚書において英国は統合された欧州（United Europe）の一員にはならないことを記している。その際の言葉は「コモンウェルスとしても、一国の単位としても」といった風に、常に念頭にコモンウェルス（英連邦）を置いていた。**ウィンストン・チャーチルがコモンウェルスの存在を重視していたことは広く知られていないが、特記に値する歴史上の事項である。**

チャーチルが世を去って半世紀以上が経つ現在でも、英国における世論調査で常に歴史上最も尊敬される人物とされるのは、単に政治家としての魅力だけではなく、英連邦に対する友情を大切にするような情の深さがあったからに違いない。そして、公私混同的な解釈になってしまうが、チャーチルがアメリカとの国交を極めて重要視する背景にはアメリカ人の母親の存在も大きかったのではないだろうか。母親はアメリカの大富豪の美しい令嬢であった。チャーチルは英国を愛し、家族を愛し、そして世界の友を愛し、多くの名言を残して世を去った。

現実を見据えたＣＡＮＺＵＫ支持者

ロバーツ氏と肩を並べＣＡＮＺＵＫが世界の中心的存在になることを主張する英国の経済学者アンドリュー・リリコ（Andrew Lilico）氏やＣＡＮＺＵＫのメンバー国ではないアメリカの

企業家であり作家でもあるジェームス・ベネット（James Bennett）氏がCANZUK支持者の中心的存在である。彼らを中心に、英国の欧州連合離脱を機に、多くの論文、新聞記事、そしてAnglosphereを書名にした書籍までも多く出版されている。離脱の是非を問う国民投票の前から、Anglosphereに関する記事は増えつつある。ベネット氏は英国で国民投票が行われた二〇一六年六月に、早々にアメリカの学会誌にCANZUKが欧州連合の代わりになり得ることを力説している。

英国の欧州連合からの離脱を機に、今後CANZUKという四つの国の集合体名をメディアで見かけることが多くなるはずである。CANZUKに関して特に留意していただきたい点は支持する人々の心底に流れている思想が同一ではないということである。思想的に大きく次の二つに分かれる。既に第三章で触れているが、ここで復習を兼ねて、もう一度解説したい。

（1）あくまでも大英帝国の延長上にある遺産として捉える思想。アンドリュー・ロバーツ氏が中心となってCANZUKを歴史の延長上に置いて考察している。特に彼の場合にはウィンストン・チャーチルの三つのサークルで世界平和を実現できる、という理想を受け継いでいる。

更に時代を遡り、一八九五年から一九〇二年まで植民地大臣を務め、英国の帝国主義政策を推進していたジョセフ・チェンバレン（Joseph Chamberlain）の夢を具現化したものと捉える。つまり、ＣＡＮＺＵＫはどこまでも大英帝国の誇りの延長上にあると考える。ＣＡＮＺＵＫのメンバー国ではないアメリカ出身のジェームス・ベネット氏もこの考えに近い。

（2）Anglosphere という新しい枠組みの中で新しいタイプの外交と捉える思想。この思想の代表的な存在はロンドン大学出身の経済学者、アンドリュー・リリコ氏である。彼は白人優位といった批判を受けないためにも、歴史とは切り離して考えるべきであると主張する。

情報が偏らないように、Anglosphere 構想に対して批判的な例も見たい。二〇一六年二月二十三日付の『ジャパン・タイムズ』オンライン版において Anglosphere という考え方自体を否定する記事が掲載されている。タイトルは“The Anglosphere illusion”である。筆者は一九八八年から一九九六年までオーストラリアの外務相を務め、その後、オーストラリア国立大学の総長になったギャレス・エヴァンス（Gareth Evans）氏であるから注目を集めた記事である。彼はファイブ・アイズを含めて Anglosphere の排他的で「引き離す力」の方に目を向け批判している。そして驚くことに次のようなことまで述べている。

（邦訳は筆者による）

We just don't particularly think of ourselves as Anglo any more.

（われわれは、自分たちが特にアングロ系であるとは、もはや考えていない。）

このように Anglosphere の中核となる国の中にも Anglosphere の国々の結束に対して、冷淡に眺めるスタンスをとる者もいる。エヴァンス氏にとっては Anglosphere という用語の認識は明らかに「アングロ・サクソン圏」である。彼自身が英語を母語とし、彼の国は英語圏の中核であることは広く認められている事実であるから「英語圏」という解釈の用語を否定することはあり得ない。

オーストラリアの中にも、エヴァンス氏とは真逆の意見、つまりAnglosphereの結束こそが二十一世紀に求められるとする政治家や学者も多い。政治家の中にはＣＡＮＺＵＫの結束を強めることを次の選挙のマニフェストにしているケースすらある。オーストラリア国立大学で講師を務めたこともあり、既述の一六名の共著の書の著者の一人でもある国際政治学者のティム・ルグラン（Tim Legrand）氏は強力なＣＡＮＺＵＫ支持者の一人であり、ファイブ・アイズの重要性を主張する学者でもある。同書の中で彼はＣＡＮＺＵＫと欧州連合を比較してＣＡＮＺＵＫ特有の次のような要素を強調している。同じオーストラリア人であっても、エヴァンス氏との相違に驚くばかりである。

Friendship（友情）
Like-minded（志を同じくする）
Anglosphere Values（Anglosphereが共有する価値観）
Ideological values（イデオロギー）
Solidarity（結束）

賛否両論は、何事においても、ごく自然に発生するものであるが、Anglosphere に関する議論の深刻な問題は、この語の定義が流動的であり、どの国々を念頭において意見を述べているのか不透明な点である。アンドリュー・ロバーツ氏の場合には既述の新聞記事の中で「Anglosphere が次の五カ国の協力を得られれば、この危険な世紀にロシア、中国、イラン、北朝鮮などの脅威を抑えられる」と綴っている。興味深い点はコモンウェルスの加盟国であるインドと南アフリカを日本と同列に置いている。つまり Anglosphere の外に置いている。となると、彼にとっては、コモンウェルスのすべてを Anglosphere と解釈する考えは成立しない。

イスラエル
インド
南アフリカ
ポーランド
日本

一方で、既述のベル教授の三つのモデルによる定義の中には「英国の植民地であった国々のすべてを総称して Anglosphere とする」という解釈もある。更に複雑な点は、定義など無視して、兎に角 Anglosphere という発想自体が幻想であるとするオーストラリアのエヴァンス氏のようなケースもある。彼の場合には記事の中でインドを Anglosphere に含めている点でも、この用語がいかに流動的であるか窺い知ることができる。

このようにCANZUK主要メンバー国のオーストラリアの高名な人が非常に厳しく批判しているケースもある。どちらが多数派で、どちらが少数派であるか、何をもって正論とするかといった国際世論はメディアの煽りを受けながら形成されていく時代である。いろいろな方角からの賛否の情報に接した際、常に「これは一部の意見」「これは、多面体の中のひとつの側面」といった意識が必要なのが情報過多の時代の地球市民としての基本であるかもしれない。

CANZUK構想に関して英国内では他の多くの問題と同様、多様な意見に分かれることは容易に想像できることであるが、カナダにおいても、オーストラリア同様にCANZUKに対する期待の温度差は、熱湯と氷の入った水ほどの差がある。ケベック州のように、かつてフランス領であったためにフランス語が州の公用語で英語は第二公用語にすら規定されていないような国であるので、英国に対する意見も大きく分かれる。

カナダにおける冷ややかな姿勢の例としてダンカン・ベル教授が挙げているのは、カナダ紙 *The Globe and Mail* に載せられた記事である。「CANZUK構想は英国の帝国時代に対するファンタジーを示すだけ」と批判し、記事の結論としては、白人優位の人種差別に基づくものとしている。この新聞社はオンタリオ州トロントに本社をもつ全国紙である。ベル教授自身も、**Anglosphere** を論ずる際は、賛成派、反対派に関わらず、どうしても人種差別の問題は避けられないと述べている。

既に何度も言及しているように、**Anglosphere** が「英語圏」と訳されど、この語はアングロ・サクソン系を色濃く呈するものである。極東のわれわれには直覚的に受け止めにくいところがあるが、歴史的な負の側面が消えることなく、人々の感情を掻き立てる用語にもなり得てしまうわけである。

CANZUK以外の国々を概観すると、一言に「元植民地」と言っても、独立後には様々な形をもって、そして複雑な感情をもって、それぞれの国が独自で判断した英国との距離を保っている、というのが現在の世界システムの中の一部となっている。大英帝国は世界の四分の一に近い領域を支配していたわけであるから、被支配国にも様々な異なる政治、文化、思想などがあったことは当然である。イングランドが推し進めた植民地政策の一環として英語の活用をあっせんしたことから、アジア、南北アメリカ大陸、アフリカ、オセアニアの植民地のすべてにおいて英語が公用語とされた。

植民地政策の一環としてあっせんされた**英語に対しても、被支配国の独立後には、それぞれ異なった言語政策をとっている**。アジアの国々の多くは、できる限り自国の言語を尊重し使用の拡大を図り、英語への依存度を徐々に減らす取り組みに乗り出す。アフリカ諸国においては逆の傾向の方がより強い。勿論、これは、あくまでも一般論で例外はアジアにもアフリカにもある。アフリカにおいて英語を奨励するのは、かつての支配国に対する敬意を示すという意味合いもあるかもしれないが、むしろ将来のアフリカの発展を考えた上での言語政策と言える。つまり英語を身に着けておくことによる次のようなメリットを考えてのことである。

① **世界の情報にアクセス**し易い
② **近代化のため**に留学して学問を身に着ける際に役にたつ
③ **外国とのビジネス**の促進に不可欠である
④ アフリカ諸国は多民族国家、多言語国家であるので、共通言語（リンガ・フランカと呼ばれる）としての英語の存在が**民族紛争の回避**に直結する。

他のエリアにおける植民地も第一次世界大戦後に次々と独立していったが、英国は独立を阻止するような政策には出ずに、独立した後にも「ゆるやかな（loose）関係」を結びましょうという曖昧模糊とした取り決め、ウェストミンスター憲章を一九三一年に発効していることなどは既に見てきた通りである。

Anglosphereが一体、どの国々を含めるべき用語であるのか、多くの説が存在する理由は、とりもなおさず、英語という言語が生まれ育ったアングロ・サクソンの地、イングランドの歴史の複雑さゆえである。

英国をアングロ・サクソン人が築いたイングランド王国と呼ぶ時代は一七〇七年までで、それ以降はイングランドはケルト系のスコットランドと連合王国となっており、更に一八〇一年には同じくケルト系のアイルランド島全域と併合している。つまり連合王国になっているので、アングロ・サクソンとケルトの文化を同等に尊重することが求められる。スコットランドもイングランド同様に王国であり、日本ではあまり知られていないが、既に「はじめに」で触れたように現在でもスコットランドに首相がいる。イングランドの首相は Prime Minister と称され、スコットランドの首相は First Minister と称されている。

同じ国家でありながらスコットランドとイングランドの境は国境（national border）と呼ばれていることを含め連合王国という国家体制を先導する政治家たちの苦悩は一般に想像されている以上のものがあるに違いない。

基軸言語をめぐる対立

英語という言語にまつわる冷戦を論じる前に、まず日本について考えてみたい。できれば、世界の人々に日本人の、この生き方を知らせたい。

日本は地球が存続する以上、必ず歴史書に残るほどの大きな悲劇を経験している。広島、長崎の言葉にならない残酷な悲劇、許しがたい人間の悪事によって今でも多くの人々が心に深い傷を負ったまま生きている。しかし、日本の美徳の一つとして、憎しみの感情、敵対感情というものを植え付けられることのない教育を受けていることが挙げられるのではないかと思っている。憎しみ、恨みとは一八〇度逆の教育、つまり「人を憎んではいけない」「他者に対する思いやりを大切に」という教育を学校教育のみならず、家庭教育においても、そういった生き方が重んじられている。

日本の社会にいると、信じがたいことに思えるが、残念ながら、世界のあちこちで今日に至っても「言語」ゆえの憎しみがあり、感情の衝突が起きている。先進国においてすら信じがたい言語冷戦が多々存在している。この問題は刊を改めさせていただき、ここでは英語に関わる問題だけをとりあげたい。

国際政治史を専門とする仲井斌氏の描写が非常に印象的で常に思い出している。仲井斌氏の著書である『現代世界を動かすもの――アメリカの一極支配とイスラム・中国・ヨーロッパ』（岩波書店、二〇〇六年）の中の一節が、日本人には、ほぼ無縁の国民感情の理解に役に立つ上に、アングロ・サクソン事情にも関与している内容であるので、ここに引用させていただく。仲井氏は英語とフランス語の対立について次のように語っておられる。

英仏は西欧デモクラシーの二つのモデルではあっても、世界史における敵対国家・対立国家・競争国家であり続けました。（中略）一七一三年当時北米での英仏の支配地域面積は接近していましたが、七年戦争が終わった一七六三年にはフランス植民地は消滅してしまいます。北米は英語圏となり、今日フランス語地域はカナダのケベック一州があるのみです。（中略）パクス・ブリタニカの火は消えましたが、その背後には後見国として世界ナンバーワンに昇格したアメリカの姿があり、フランスの対抗国家は「アングロ・サクソン二重帝国」として拡大します。

仲井氏の言葉から国家と国家の対立の背景に言語の存在が大きいことがひしひしと伝わってく

る。英仏は一〇〇年以上続く戦争を二度も経験している。従って、多くの人々が生まれてから生涯を閉じるまでの間、ずっと戦火を見ていたというケースも多い。身近な人々、愛する人々が戦死している中、敵対観念を抱くな、人を憎むなという教育が非現実的なことは人情として理解できる。仲井氏の著書からも読み取れるように、国によっては、言語は文化の一部というより、むしろ政治に近い位置に置かれている。

言語をめぐる冷戦においては、戦火も上がらず、流血もない。しかし、対立観念にかけては、目に見えないだけに陰湿なところがある。例えば、二〇〇六年にブリュッセルで行われた首脳会議において、フランス語を母語とする会議出席者が英語で意見を述べた時の出来事である。同席していたフランスの当時のシラク大統領が、大きな会議においてフランス人の代表の一人が英語で発表したことを不名誉なことと怒ったらしく退席してしまった。大人げない、と言うか国際人らしからぬ態度である。

大人げない態度のもう一つの例は、欧州連合委員会の前委員長のユンケル氏がメイ前英国首相と離脱交渉の最中の緊張の高まる中の記者会見でのことである。彼は冒頭で、こんな発言をした。

English is a useful language.
French is a beautiful language.
So today I want to speak French.

（英語は役に立つ言語。
フランス語は美しい言語。
今日はフランス語で語りたい。）

英語は使い易く便利だけれど、美しい言語とは言えないということなのだろうか。欧州連合においての作業言語（working languages）は英語、フランス語、ドイツ語であるのだから、余計な前置き無くしてフランス語で会見に臨んで全く問題ないわけである。世界に配信される記者会見で、このような発言があって良いのだろうか。しかし、彼のこの発言は全く話題にもならず、それがダブルの失望となった。

一〇六六年に現在のフランスの北部のあたりからラテン語系言語の民族であるノルマン人がイ

ングランドを征服して、ノルマンディ王国のウィリアム一世が英国王となった。この歴史についてはノルマン・コンクエストとして日本の学校教育の世界史で必ず学ぶ。しかし、そのことと英語との関連を説明する学校は少ないと思う。この征服から一三六三年までの約三〇〇年の間はイングランドにおける言語はフランス語化された。勿論、英語が消滅したわけではなく、中産階級以下の言語として残った。王族、貴族など上層の人々はフランス語で生活をするようになった(注2)。フランス語は高尚なる上品な言語、英語は上品とは言えない暮らしの人々の言語という認識が三〇〇年近く続いたのである。

英仏の第二次百年戦争が一四五三年に英国の敗北で終わった。この百年戦争と同時進行で英国におけるフランス語離れが加速していった。英語という言語が名誉回復できる画期的なことが二度起きている。一三六三年にイングランド議会の議長が初めて「高尚なるフランス語」を止め、英語で議事進行を行ったのである。

更に画期的な名誉回復は一三九九年に即位したイングランド王のヘンリー四世が即位のスピーチを英語で行ったのである。つまり、この年に英語は王室の言語にまで、一気に格上げされたのである。国際社会においては、フランス語の地位はゆらぐことはなく、それは第一次世界大戦の講和条約であるヴェルサイユ条約がフランス語と英語で書かれたことから窺い知れる。

世界の言語の構図が大きく変わったのが第二次世界大戦である。アメリカの勢力とウィンストン・チャーチルの英語に対する信念が二十世紀の世界の勢力図を大きく変えた。そして、その世紀の後半には既に現在に続くグローバル時代を迎え、英語が「繋ぐ力」として大きな役割を果たすまでになった。ウィンストン・チャーチルがコモンウェルスの国々を極めて重要な仲間と主張し、二十一世紀になって Anglosphere の研究者たちが植民地政策と英語の普及を再評価する時代を迎えた。英国の欧州連合離脱の騒動の中で、これまで漠然と受け止められてきた用語、Anglosphere が果してどこの国を含むのかという素朴な疑問が深刻な論題となっている。

コモンウェルスに属するアジア、アフリカ、オセアニア、カリブ海諸島の国々のすべてを Anglosphere と定めてしまうことが妥当であるか。それが最も公平なように思えるが、言語としての正確性を重んじる国と通じさえすれば文法の乱れなど問題にしない国との英語は同じ言語と呼べないほどの隔たりがある。ケンブリッジ大学のダンカン・ベル教授の定義の一番目のモデルについては、今後の大いなる研究の余地を残しているものの、二四億人の仲間がいる背景に英語という言語が大きな役割を担った事実は認めるべきである。

言語間の対立感情というのは、もはや時代錯誤であり、それぞれの言語に、それなりの美しさがあり、尊い歴史がある。三〇〇年以上の屈辱を経験した英語という言語が極東と呼ばれる日本において小学校からの義務教育となったことや、英語圏の中核の国々が二十一世紀になり日本に機密情報を共有する仲間になってほしいとまで言う時代になっている。この現実を、しっかりと見つめていきたい。

英国の欧州離脱が途轍もない混乱を招き「イギリスは泥沼の中」「さ迷える老大国」といった感は否めないが同時に、世界中を心配させた国際政治の混乱の中でAnglosphereという用語が一気に政治的な学術用語として、あたかも火がついたかのように活気を帯びてきた。そこから何かが見えてくる。いやがおうでも見せつけられた時代の変遷から、今までには想像できなかった新しい世界の秩序の基盤の鼓動のようなものが聞こえてくる。オーストラリアの学者が重視する「友情」「価値観」「結束」といった政治の中に織り込む「心」の要素は第二章で触れたハウエル氏の言う「相互の尊敬」と同じく**利害関係を超えたところの、いかにも人間味ある何かが動き始めたような感触を放つ。**

英国の欧州連合からの離脱が意味することは、地理上の近さより、遠く離れていても相互理解や仲間意識といったものが次世代を動かす主要な要因になるかもしれないということである。世界は、そんなに甘いものではないことは重々分かっていながらも、地球規模で「対立」から「尊敬」への移行が果たせる日が、たとえ二十二世紀、二十三世紀になってからでも訪れてくれるのであれば、「帝国2・0」は世界の救いである。二十二世紀は、もう目の前である。

【注】

（1）細谷雄一教授のこの一節は次の論文からの引用である。「ウィンストン・チャーチルにおける欧州統合の理念」（『北大法学論集』第五二巻第一号、北海道大学大学院法学研究科、二〇〇一年）

（2）牛を示すcowとbeef、豚を示すpigとpork、そして羊を示すsheepとmuttonなど、前者は英語、そして後者はフランス語に由来する単語である。家畜を育てるのはイングランド人であり、それを優雅に食するのはフランス語で会話する上層の人々であることを明らかに示す例である。

第五章　情報の覇権を握るファイブ・アイズ
日本の決断は？

ファイブ・アイズとは機密情報を共有する協力組織で、英語圏を代表する五カ国で構成される。CANZUKプラスUSAである。通信傍受、スパイ行為、軍事などに関わる活動をする共同体である。本章で専門家の意見を紹介させていただくが、専門家ではない私が全く異なる角度からファイブ・アイズを捉え、驚くべき二点について、まず述べることから始めたい。

両面併せ持つブリティッシュ・パワー

英国が関与するこの二つの結束を見ていただきたい。

（1）第三章で見たように、コモンウェルスは英国を含め**五四カ国の**「**ゆるやかな結束**」である。秘密性はなく、かつての植民地でない国も希望すれば加盟できるほど、極めてオープンな協力体である。かつての植民地でなくとも希望すれば加盟できることが、その解放性の証である。そして第四章でみたように、「英語圏の結束」という捉え方が可能であるが、**英語を公用語としない国でも加盟できる**ほどオープンである。典型的な**ネットワーク型**の結束である。

（2）ファイブ・アイズは、その名が示す通り英国を含めて**五カ国の「緊密で閉鎖的な結束」**である。加盟を希望すれば歓迎するというオープンさはゼロの秘密度の極めて高い組織である。軍事関連の通信傍受やスパイ行為など人命に関わる活動もしている。機密であるがゆえなのだろうか、**がっちり英語圏で固めている。ピラミッド型**の結束であり頂点にアメリカがある。

右の二つの結束、あたかも一八〇度回転させたような真逆な結束を成功させられるのは、特殊な国力であると私は考えている。英国、若しくは英国人の両面併せ持つ点は大きな魅力である。結束の課題からは脱線するが、人物に関して例を挙げるなら、サッチャー元首相は「鉄の女」と呼ばれながらもユーモアで議会の野党も爆笑させるような面をもっていた。現在のボリス・ジョンソン首相は名門パブリック・スクールのイートン校からオックスフォード大学というエリートの最高峰の道を歩みながら、知性とはかけ離れた奇行を演じる首相である。

そして更に脱線するが、両面併せ持つという点で忘れられないのがケンブリッジ大学のキングス・コレッジの礼拝堂である。大聖堂と呼んでもよいほど、厳かな聖なる空間である。その聖なる空間に聖歌隊の清い歌声が鳴り響く。静かな気持ちでその空間を出て階段を降りると、地下は目を疑うディスコティックになっている（限られた日の夜間のみ）。目的は街のディスコティックに行って高い入場料で浪費をすることを避けさせるため、そして学生たちにリラックスできる場を提供するためだそうだ。英国人の学生たちは、この二つの空間がひとつになっていることに何ら驚きを示さなかった。両面併せ持つ国民性だからなのかもしれない。学術的な体験ではないが何かを学んだ感があった。現在の状況は確認していないが、一九九〇年代前半には間違いなく両面併せ持つケンブリッジ大学キングス・コレッジの礼拝堂であった。青春の思い出から慌てて本題に戻る。ファイブ・アイズに関する二番目の驚きである。

英語圏に日本が加わる？

「英語圏の結束」として世界にその名を知られているファイブ・アイズが日本をメンバー国として勧誘している。門外漢の私が提言などできるはずがない。「英語圏」ではない日本をなぜ、が本書の課題となる。恐らく多くの人が「中国を意識して」が念頭に走ると思う。一九〇二年の日英同盟がソ連の南下を阻止するためであったことを思い出すであろう。

他の理由があるのかもしれない。第二章と第三章で英国がバックキャスティングの天才国であることを論じた。英国は一〇年先、一〇〇年先のことを読む国家の能力があるので、もしかしたら、将来、日本が英語圏に含まれるのかもしれない。その可能性は十分に考えられる。これは次の章で論じたい。英国という国家、そして英国人という国民が「先見の明」の点で世界一であることは歴史が証明しているので、それを考えると、「日本は英語圏ではありませんし……」と逃げてしまうことは得策ではないかもしれない。

日本人の多くが「日本は平和です。そういう怖い組織に入ることによって、危険にさらされるのは困ります。そっとしておいてください。スパイやテロリストの興味を引いてしまうかもしれません」と念じることと思う。私もその一人である。しかし、少し立ち止まって考えてみると、もしかすると、ファイブ・アイズに加盟しなかったことを将来的に後悔するような事件が発生するのかもしれない。例えば日本においてスパイ行為が行われ、将来的にはその数が急増することもあり得る。もっと先のことまで考えると、宇宙開発が進むにつれ、宇宙空間におけるセキュリティといったことまでも念頭に置くべき時代がくるのかもしれない。更に準備が不可欠なのは、何らかの理由で、日本がテロリストの標的になることもあり得る。

また、伝染病に関しても、一般に情報開示される前に機密情報を得ることで、進化した医学との協力体制を設け、食い止めることもできるかもしれない。もう一点、大切な可能性として、将来的に有事の時には日本が活躍できるくらい頼もしい存在になっていて欲しいという日本に対して抱く信頼と期待ゆえなのかもしれない。

以上、我流の分析はここまでとし、客観的事実と専門家の所見を紹介させていただきたい。まずご報告すべきことは次のことである。二〇二〇年八月十四日付『日本経済新聞』電子版の記事である。当時の防衛相の発言についてである。

河野太郎防衛相は日本経済新聞のインタビューで、米英など五カ国の機密情報共有の枠組み「ファイブ・アイズ」との連携拡大に意欲を示した。「価値観を共有している国々だ。日本も近づいて『シックス・アイズ』と言われるようになってもいい」と述べた。

また、二〇二〇年九月十七日付『産経新聞』電子版においては次のように述べられている。

英国のジョンソン首相は十六日、英議会で、英米など英語圏五カ国の機密情報共有枠組み「ファイブ・アイズ」への日本の参加について「英国にとって、志を同じくする民主主義国家を一つにまとめる大きな機会になることは間違いない」と前向きな考えを示した。

このように『産経新聞』でも「志を同じくする」という邦訳をもって like-minded に言及している。ファイブ・アイズの歴史や功績、そして英語圏の五カ国が日本の協力を求めていること、それに対する日本の専門家の意見をご報告するのが本章の目的である。

ファイブ・アイズ、訳して「五つの目」とは、なんともかわいい名称であるけれど、スパイに関する法律もない日本の国民にとっては想像できないような活動をしている組織である。情報の傍受を始め、情報に関しては世界一と言われるほどの技術を有する組織である。日本において盗聴や傍受が許されるのは、犯罪捜査のための司法傍受だけであり、行政傍受といったものは存在していない。ファイブ・アイズを構成している国家と日本とでは文化が異なっていることも心配の種である。

ファイブ・アイズの歴史

母体はＵＫＵＳＡと称されるＵＫとＵＳＡの二つの国が第二次世界大戦中にナチス・ドイツに対抗するために構築された協力体であり、ユークーサ、ユークサ、時にはユーキューサと呼ばれたりする。そして戦後にカナダ、オーストラリア、ニュージーランドが加わった。まさに英語圏の中核を成す五カ国である。

ファイブ・アイズといった愛称的な名称であるために、ありとあらゆる邦訳が目に入る。日本の新聞紙上では一般に「機密情報共有枠組み」として報道されている。ネット上では様々な名称がつけられている。「情報傍受組織」や「スパイ同盟」やら怖ろしい名称が飛び交っている。中国紙で批判された時の組織名が最も恐ろしい。二〇二〇年八月九日付の中国紙の中では「米英圏軍事同盟」という名称が使われ、「日本が加わることは絶対に許さない」という内容であった。

このテーマを取り上げるのは、本書のテーマである英語圏の結束に直結しているからである。ファイブ・アイズが日本を求める理由を表層的に判断すると、中国の情報が欲しくてアジアの国の参加を求めている、となるのだが、表層より、もう少し深く掘り下げて考えるべき事項であると考えているからである。「私たちは英語圏ではありませんから」と逃げてしまってよいものか考える必要があると思う。自覚すべきは、欧州連合を離脱した英国のみならず、世界は次世代に向かっている、ということである。様々な分野において2・0は時代が世界に求めることなのかもしれない。少なくとも、ファイブ・アイズに関しては**英語圏、非英語圏という境界を超越した見地から日本という国家を評価している**、と考えるべきなのかもしれない。

英国の欧州連合からの離脱をめぐっては、単一市場や関税といった貿易が中心の議論が続いてきたが、国際的なセキュリティの課題に移行しなければいけない時期に入った感がある。だからと言って、日本がファイブ・アイズに加わることは危険もあろうし、これは真に慎重な検討が必要であることは門外漢の私でも察知できる。本章を設ける理由は遅かれ早かれ、日本が大きな選択に直面するであろうことを知っていただくためである。国防、機密情報に関することなど全くの門外漢の私にできることは、それだけであるが、ほんのささやかでも、何らかの貢献ができることを願ってのことである。

英国が欧州連合を離脱したことを機に、日本がファイブ・アイズという英語圏の結束に加わるという信じがたい話題が、非常に強度な現実味を帯びてきた。帯びてしまった、と言うべきかもしれない。この問題を日本国民は直視すべきであると感じた次第である。**次世代の英語圏構想は怖ろしい、という感覚を得るか、次世代の英語圏構想のおかげで安心できる、という結論に到達するかは、個々の読者の皆さんに委ねたい。**

少し詳しくファイブ・アイズの成立の経緯を説明すると、第二次世界大戦中、一九四一年二月、アメリカの情報士官という地位にある人が、当時ロンドンの郊外にあった英国政府の暗号学校で暗号の解読法の教育に協力したのが原点と言われている（アメリカの参戦は十二月なので、参戦前のことである）。その後、ルーズベルト米大統領とチャーチル英首相が、戦艦プリンス・オブ・ウェールズ上で会談を行い通信傍受した機密暗号の情報を共有することに同意したことが歴史として残っている。それを機密情報として、カナダ、オーストラリア、ニュージーランドと共有した。この第二次世界大戦中に軍事情報傍受を目的として芽吹いたファイブ・アイズという組織が長きにわたり水面下での協力を続けていた。

以上が簡略化した歴史である。このように最初に中心となっていたのは、米国防総省、国家安全保障局であったが、終戦後は、今度は対ドイツから対ソ連及び東欧に関心が移行し地球規模の通信傍受が必要になり、カナダ、オーストラリア、ニュージーランドが加わったわけである。ファイブ・アイズのすべての国が交流した出発点は大英帝国の植民地であったわけである。アメリカは独立して独自の政治体制を築き、カナダ、オーストラリア、ニュージーランドは、独立するまでは、ドミニオンという名のもと自治権を与えられた。ドミニオンとは植民地と独立国の間のような存在である。独立後もエリザベス女王を元首とし忠誠を誓っていることから、英国とは身内のような存在である。そして、ファイブ・アイズにおいて主導権を握っているのはアメリカである。

第二次世界大戦以降、水面下で機密情報を共有していたファイブ・アイズが二十一世紀に入り、徐々に水面上でその組織が知られるようになってきた。二〇二一年二月に出版された『超地政学で読み解く！　激動の世界情勢タブーの地図帳』（宝島社）は非常に面白い。著者は軍事ジャーナリストの黒井文太郎氏である。「米英が牛耳る情報覇権の最強軍団」という見出しで、次のように描写している。

なにせ米英主体のため、その情報力は圧倒的だ。（中略）近年は通信傍受情報だけでなく、ファイブ・アイズの枠組みで広く五カ国の情報共有が進んでいる。**情報覇権の最強軍団といっていい。**

この五カ国に他の国を加えて、9アイズというのも14アイズというのも存在はしているが、結束力の点で弱いものがあり、世界にファイブ・アイズを超える情報共有機関はない、というのが黒井氏を始めとする専門のジャーナリストたちの意見である。黒井氏は日本のファイブ・アイズ加盟に賛成派である。但し、日本がファイブ・アイズに加わったとしても、想定されるのは次のようなことであると黒井氏は同書で述べている。

　第一級の機密情報が簡単に手に入ったり、日本の情報能力が急に高まるというほど、インテリジェンスの世界は甘くない。（中略）日本は、この分野ではまだ初級者だ。一歩ずつ進んでいくしかないだろう。

　日本の加盟については様々な反対意見が飛び交う中、最も頻繁に聞かれるのが、「スパイ法もないような情報後進国である日本が加わったところで、与えるもの、与えられるものがあり得るのだろうか」や「英語圏の中核をなす国々で構成される組織に日本が加わることには違和感が大き過ぎる」といった不安に近いものであるが、ファイブ・アイズ側では日本を仲間に入れることを真剣に考えている。日本を加えてシックス・アイズにしたい、というわけである。ところが、シックス・アイズには大反対というオーストラリアの著名な学者がいる。反対の根拠が意表を突くものである。日本の加盟に反対なのではなく、シックスになることに反対している。

政治家による政治的な思惑からではなく、学者が学術的に地球益を考察した上で、英語圏であるか否かを超越したところから世界を見て、日本の力を求めている。オーストラリア、シドニー大学の准教授で著名な社会学者のサルバトーレ・バボネス（Salvatore Babones）氏はニュージーランドと日本を交代させるべきだという提言をしている。二〇二〇年九月二十九日の彼のブログにおいて述べた意見である。彼の提言の根拠としては、ファイブ・アイズに日本を含めシックス・アイズにするというメンバーを増やす策は秘密の安全性の心配が生じる。従ってできる限り少数のメンバーに留めることが必要である、という見解を公にしている。ファイブ・アイズの他のメンバー国も、これに賛成してくれるはずだ、と加えている。

ここまで真剣勝負で日本の協力なくして世界平和はない、という考えを表明している学者がいるのであるから、河野元防衛相が、ファイブ・アイズに関して真剣に検討していることは、政治家としてのみならず、地球市民として正しいことに思える。河野氏の他にもファイブ・アイズに加わることを肯定する政治家や評論家の中で興味深いのが参議院議員であり、安全政策および国家政策研究員でもある青山繁晴氏の「情報の黒船」という発想である。ネット上の動画において の発言である。「日本は常に外圧をポジティブに受け止めてきた。二〇〇〇年以上続けていた鎖国を、たった四隻の船の来航をもって開国した国である」という論である。スパイ防止法は今はないが、防止法がある国であっても法律を無視して殺人まで起こしている国がある。この機会にスパイ防止法を整備して、日本の正当性や価値観を世界に知らしめるべきであるという青山氏の提言は説得力がある。

ファイブ・アイズに入るべき、の論拠には、他にも次のようなものがある。敢えて発言者の名は明記せずに箇条書きにさせていただく。

● まず日本にスパイ法がないことが問題。日本にも某国からのスパイは、かなり入ってきている。実際に会ったこともある。この機会にスパイ法を立法化するべき

● 情報の傍受が強調されるが、こういう組織に入ることは情報の保護にもつながる

次に反対意見も箇条書きでお伝えする。

● 中国に関する情報欲しさに日本を利用しようとしているだけ
中国との関係悪化は日本にとっての得策ではない

● 戦うことをしない国に軍事機密を教えるはずがない。日本の加盟は意味がない

● 通信傍受に関する法律など、多くの法律の改善が必要になり、煩雑な作業となる

反対意見に関しても「なるほど」と思える。しかし、この案の話し合いは英国の政治家たちによって、どんどん進められているという現実がある。英国メディアの中の保守系『デイリー・テレグラフ』紙が二〇二〇年七月二十九日付で「中国依存から脱却して国家の重要な通信や原発などのインフラを守るため、ファイブ・アイズは日本の参加を検討」と報じ、リベラル系『ガーディアン』紙も同日に「対中国の観点から日本がファイブ・アイズに参加し、六番目の国となる可能性がある」と報じた。英国は欧州連合からの離脱後も、まだ残留派との分断が深刻であり、そのような混乱状態の内政の中、日本が加わりシックス・アイズになる、という海外に向かっての構想に目を向けることは、国内の分断を超越する救いのような国論となっているという見方もあ

るようだ。

英国には秘密情報部があり、カナダには通信秘密保全部があり、オーストラリアには電波総局があり、ニュージーランドには政府通信安全局があり、いずれの国もプライドが高く、ファイブ・アイズというのは極めて閉鎖的な情報機関とされている。入りたくても入れない閉鎖性があるようだ。その閉鎖的な組織の方から日本の加盟を望んでいる、しかもアングロ・サクソン圏ではない国に、ということで誰の胸にも不思議な思いが走ると思う。

それだけ日本が信頼されている、というのが最も親日的解釈である。一方で、目的は単に中国の情報を入手したいから、という意見もある。そして軍事ジャーナリストの黒井文太郎氏のように、日本がもつ有効な情報は既に米国と共有されているので必要な情報は米国から得られるはずなので、それだけが目的ではないはずという意見もある。

本章の冒頭で触れたように、二〇二〇年八月十四日付『日本経済新聞』電子版が、当時の防衛大臣、河野太郎氏がファイブ・アイズとの連携に意欲を示していることを報じている。また、八月四日付『産経新聞』電子版には次のような記事がある。

日本が英語圏五カ国の機密情報共有枠組み「ファイブ・アイズ」に参加するよう促す発言が相次いでいる。（中略）七月二十一日に河野太郎防衛相と電話会談したトゥゲンハート英下院外交委員長はこう述べた。「日本を入れてシックス・アイズにしたい」。関係者によると河野氏は提案に前向きだったという。

河野前防衛相がファイブ・アイズに協力、もしくは参画することに前向きであることは複数の情報源から確かである。ファイブ・アイズが日本を求めていることは大きな問題として報道されることは現時点ではないが、実は、ネット上のニュースではＮＨＫ　ＢＳ１のサイトを始め、かなり大きなニュースとして取り上げられている。その立役者はまずアメリカの次の二人である。二人は親日家とも知日家とも言われている。日本にとって知っておくべき存在であるので、簡単に人物像を記しておく。

リチャード・アーミテージ…二〇〇一年から四年間、ブッシュ政権で国務副長官を務める
良きも悪しくも日本政府には多々、助言し続けている
ジョセフ・ナイ……………一九九四年から一九九五年までクリントン政権で国防次官補を務
めるなど、国際政治、安全保障問題の専門家
著書『スマート・パワー――21世紀を支配する新しい力』（日本経
済新聞出版社、二〇一一年）が日本でもベストセラーになっている

二〇〇〇年にアーミテージ・ナイ報告書というのを開始し、これが小泉純一郎政権の外交政策に影響を与えたことは大きく報道されている。そして二〇二〇年十二月の**アーミテージ・ナイ報告書の中には「日本はファイブ・アイズに参画しシックス・アイズとなるための努力をしてほしい」という内容が含まれていた。**

二〇二〇年九月一日の『産経新聞』電子版においては、軍事ジャーナリストの岡部伸氏が、英国は二〇一六年六月の国民投票後「グローバル・ブリテン構想」の中で日本をアジアで最も重要なパートナーに位置づけたこと、そして戦勝国のアングロ・サクソン同盟に日本を招く背景には

日英関係の急進展がある、と述べている。

オーストラリア戦略政策研究所（ＡＳＰＩ）の所長を務める**ピーター・ジェニングス（Peter Jennings）氏は英国の欧州離脱の混乱が始まる数年前から、既にファイブ・アイズに日本が加わる構想を謳っている。**彼はこの政策研究所が発行している*Strategic Insights*という論集の二〇一三年十月号の中で「**Anglosphere という用語は反アングロ・サクソン系の人々の心中に対立観念を抱かせてしまう恐れもある。従って、Anglosphere の代わりとして Five Eyes を使えばよい。そうすることによって、英語圏でないＮＡＴＯの国々と日本に加わってもらうことが可能になるかもしれない。**」と述べている。ここまではっきりと日本への信頼を表現している。用語はともあれ、オーストラリア元国防次官であるジェニングス氏は英語圏の中核をなす五カ国の協力体制がオーストラリアの国防の為に最良の策であり、世界平和のためにも不可欠な協力体制であることを主張している。そして、そこに日本が加わることを願っている。

オーストラリアとニュージーランドは共に中国を最大の貿易相手国としてきたが、オーストラリアは中国から距離を置く方向に向き始めている。一方でニュージーランドの場合には二〇二一年一月に中国との自由貿易協定（FTA）を強化する動きを見せているなど、CANZUK内部で対中国の姿勢に不整合が生じてきている。日本が加わるか否かの問題は別として、オーストラリアの学者サルバトーレ・バボネス氏の「ニュージーランドは抜けてもいい」という発想が現実性を帯びてきている。

日本はエリザベス女王を元首とする国でないばかりでなく、英国の植民地にすらならなかった国である。その日本に対して保守党のメイ前首相、ジョンソン現首相のみならず、労働党のブレア元首相を含め、英国の外交、貿易に関わる閣僚たちが声を揃えて「日本はアジアで最も大切な国」と明言している。中国を意識してのことは言うまでもない。一九〇二年の日英同盟の時にはソ連の南下を阻止する目的だったように、今度は中国の台頭を抑えるためという解釈も多く聞かれる。

ジャーナリストの岡部伸氏を始めとして「老情報大国からの招請を断る理由はどこにもない」とシックス・アイズ計画に非常に積極的な専門家もいる一方、反対者も、同様に多い。英語圏を代表する五カ国にアジアで最も英語が不得手とされる日本が加わることは情報交換の上でデメリットの方が大きいのではないか、むしろ滑稽である、とまで酷評する専門家もいる。

以上のような大きな問題が横たわっているが、岡部氏が二〇二〇年八月二十日に『JBpress』というｗｅｂニュースで語っているように、日本は英語圏内にはないけれど、第一次大戦の前までは英国と、そして第二次大戦後は米国と同盟を結んでいるという動かせぬ事実がある。岡部氏は言う、「既存の体制で今すぐに準備を始め、アングロサクソン同盟に入るべきだ。」

米国の海軍と日本の海上自衛隊が情報の面でも共有して協力体制にあることは多くの紙面で報告されている。対中国のみならず、北朝鮮の核実験や弾道ミサイル発射に対する警戒・監視の面で日本とファイブ・アイズとの連携は不可欠であるという意見がファイブ・アイズ側に高まっている。また『産経新聞』電子版の二〇二〇年八月二十二日付の中で「日本は同盟国として、ファイブ・アイズ筆頭の米国とは情報を共有する間柄だが、インテリジェンス能力の高い英国、インド太平洋の要であるオーストラリアなどと連携を広げる意義も大きい」と報じられている。

英国の歴代首相からの熱い招きに対して、それに応じるべきか否かには諸説あるようだ。だが現実問題として、国際問題は今後、更なる複雑路線を進むであろうことは容易に想像できることであり、日本が機密情報の入手という面で初心者級であるのなら、ファイブ・アイズに加わるか否かは別として、**手遅れにならないうちに初心者級から脱却して、いずれの国においても惨事が発生せぬよう事前に防ぐことに協力できる国であってほしい、と国民の一人として願って止まない。**

日本として案ずるべきは、二〇二一年三月、ジョンソン首相が「核軍拡」の計画を発表したことである。既に英国は核兵器保有では世界で五位である。更に増加させる方針を打ち出している。ただし、英国にも言い分はあるのだろう。テロリストの攻撃対象の国であるばかりでなく、既にサイバー攻撃や在英のスパイたちが化学兵器で殺害されているのを目の当たりにしているわけであるから、それくらいの強行作戦が実際に必要なのかもしれない。

防衛、安全保障に関しては、このように日本と英国は一線を画してはいるものの、一方では、日英の協力体制が深化していることも否めない。英外相、ドミニク・ラーブ氏は二〇二一年内に英海軍の空母と自衛隊との共同演習を実行したいと発表している。親善のための意義ある試みであって欲しい。決して、「軍拡大」の延長線上に位置する演習であってほしくはない。

ジョンソン首相は二〇二一年六月に英国のコーンウォール（Cornwall）でG7首脳会議（サミット）を開催する。コーンウォールはイングランドの南西部に位置し、ロンドンからの距離としては東京と京都間ほどである。この地を開催地に選んだのは非常に賢い選択である。コーンウォールという地はイングランドの南西部に位置しながらもアングロ・サクソン系ではなくケルトの文化が色濃い土地である。勿論、首相の独断で決めたことではないと思うが、アンチ・アングロサクソン系の人々に安堵を与えるであろう、こういった計算を表に出すことなく、さらりと行えるところも、良質な政治家ならではかもしれない。ただ、少々気になるのは、G7のメンバー（日本、英国、米国、カナダ、フランス、ドイツ、イタリア）の他に今回はオーストラリア、インド、韓国の三カ国を招待することを予定している点である。オーストラリアとインドはコモンウェルスの身内であり違和感はないが、韓国を含めるのは中国に対して圧力をかける一環かもしれない。この案には、いくつかの問題が複雑に絡み合っているようだ。

本章で提供した情報は十分とは程遠いが、シックス・アイズを目指しての取り組みは大いに難航することはご理解いただけたかと思う。ただ、今この時点で重要視するに値することは、世界の変動である。英語圏の中核である五カ国が日本を仲間にしたいということ、これは、やはり「変動」と言えると思う。仮にそれが、単に中国に関する情報が欲しいだけ、という解釈をしようが、どんな解釈を当てても、世界の情報覇権を握る五カ国の英語圏の大国が日本を同志とする案を立てたことは、**英語圏という要因を超越して、そして「かつての植民地」であったか否かを超越して、新しい世界システム２・０に向かって進んでいることである。これは歴史的な事象と言って過言ではないはずである。**

第六章　日本の比類なき英語パワー

「日本人は英語が不得手」というのは日本人が一番よく分かっている。世界中の人が知っている。ランキングでは常にアジアで最下位のグループに入っている。海外の人々に指摘されるまでもなく日本人は英語の劣等意識は恐らく世界一と言えるかもしれない。

ここに落とし穴がある。右で述べたことは、すべて間違いである。ランキングの中にはアジアの中でコモンウェルスのメンバーで英語が公用語になっている国々も混在している。公平性に欠ける。ＴＯＥＩＣを始めとする公共の英語テストの存在意義は決して否定しない。留学や就職のために、既存の諸々のテストは大切な判断材料として続けるべきである。しかし、その結果を利用したり、異なるテストを実施してランキングを出すということは正しいことではない。最近ではスイスの組織が世界の英語力ランキングを出しているが、案の定、日本は非常に低い位置にある。

日常、英語で生活をしていないのでテストの点も伸び悩むわけであるが、これは「能力」の問題ではなく「慣れ」の問題と私は考えている。「慣れ」と「国民性」の問題であり、そこから「英語力の低さ」を他の要素の何物をも考慮することなく帰納的に引き出すことは誤りと考えている。少々過激な表現が許されるのであれば、これは一種の地球規模の風評被害とも考え得るものである。世界の人々に日本の次の側面を知ってほしい。

> 日本は言葉少なくコミュニケーションができるだけの国民的 like-minded 性を有しているので、母語の日本語ですら、いざ意見を言う場面に遭遇すると戸惑う。言葉が出てこない。**英語ができないのではなく、言葉で表現することに慣れていない。**
>
> 短歌、俳句といった文学すらある。できる限り言葉少なく、その少ない文字から多くを感じとり、余韻を味わうという**感性の美学がある。**

日本人の言語観は特殊であり、英語ができないと誤解されやすいが、私は大学で二〇年以上担当した英語ディベートクラスで非常に大きな発見をした。英語で賛否両論を闘わせ、時には解決案を論じ合う授業であるが、そこで日本人の英語運用法とアジアからの留学生のそれとは次のような明らかな相違があることを見出した。

仮に授業に出席している日本人と他のアジアからの留学生が同じ10の英語力を有しているとする。どのようなテーマであっても、留学生たちは、その10を駆使して、できるだけ多くのことを述べようとする。一方、日本人の学生は、10の力があれば十分に発言できる時でも、自分には20の能力がないから駄目だ、と言わんばかりに諦めてしまうことがある。しっかりと予習し情報収集してきた学生、手書きの予習をノートにびっしりと書いてきた学生が、予想しなかった発言が必要になると沈黙してしまう。自分の力では無理と口も心も閉ざしてしまう。「自分には無理」という観念が心の中で先頭を走ってしまう。

日本人の多くが英語を話すことに憧れを抱きながらも、心の中で「私には無理」が先頭走者になってしまっているのかもしれない。外国語学習と国民性が密接に連動していることを常に学生たちから学んでいる。例えば、英語圏の映画を見に行った学生から七割は聴き取れなかったといった類の自己否定的な感想をよく耳にする。異なる文化にはその文化の人でなければ分からないジョークやスラングも多々ある上に、英語を母語とする人の英語も千差万別で方言もあれば、大きな個人差もある。むしろ三〇パーセント理解できてよかった、とプラスに受け止めるべきだ、というのが私の応答である。慰めようとする意図は全くなく、本音でそのように考えている。

日本では英語が公用語ではないので、千差万別の英語を聴きとったり、英語で即興の発言ができる人口は非常に限られている。しかし、企業でも国際組織でも英語が必要な部署に英語の達人を配置できる、日本はそういうパワーを備えた国である。それは、とりもなおさず、日本の中学、高等学校で外国語教育という名のもと、質の高い英語教育を行ってきたからである。思い切って英語を話してみたところで誰もが多々ミスを犯す。しかし、しっかりとした英語教育を受けていると自分のミスに気が付くし、自己修正が可能になる。

英国の政治家が英語圏の仲間にしか使わない「like-minded」（志を同じくする）という表現を異例として日本に用いたり、アジアでも日本だけを機密情報を共有するような英語圏の親密な仲間に勧誘したりするのは、右記のような日本の英語パワーをきちんと読み取っているからなのではないだろうか。

世界の航空管制塔において、そして日本の自衛隊が海外の軍隊と共同演習するときに使われる言語は言うまでもなく英語である。動画で、その様子を観たことがあるが、実に立派な英語である。発音は、いかにも日本人的でありネイティブ的な流暢さはないが、一語一語、しっかりと発音し実に正々堂々としたものであった。また、国際会議などにおける日本の通訳の方々が非常に立派な英語、文法の乱れのない英語をもってプロフェッショナルな力を見せていることも海外からの信頼を得ている要因のひとつであることは間違いない。日本では英語が堪能な人口は時代背景を考慮すると、確かに十分ではないかもしれないが、既に述べたように、英語を必要とする部署に英語の堪能なスタッフを配置するだけの力は備えている。

本書において「英語圏」の定義は流動的で確定とはほど遠いことは幾度となく述べている。この定義に関して何らかの形で次世代を見据えて新しい方向性を模索するのであれば、ひとつの考え方として、従来の「ぺらぺら」発想から離れ、小・中・高等学校、更には大学教育における英語教育の堅実さ、質の高さを重視することである。それに加え、英米文学や歴史、政治思想、哲学、経済学などの多分野において英語圏を対象にした学問の研究者の質と数の双方を考慮するならば、日本が将来的に英語圏と呼ばれても不思議はないようにさえ思える。定義が流動的であるのだから、これくらい大胆な発想も、あながち無謀とは言い切れないだろう。

結びにかえて

英国の欧州連合からの離脱に向けての移行期間が残り一カ月となり、離脱を目の前にした緊張が高まる中、東京の高輪地区で日本初の鉄道の遺構が見つかるというニュースがあった。勿論、この鉄道遺構の出土は英国の欧州連合離脱の混乱とは何ら関係はないけれど、ふと、このニュースで、どれだけの人々の念頭に英国が浮かんだのだろうか、という思いが走った。

日本が一八六八年に明治維新を迎えた時には英国はヴィクトリア女王が君臨する黄金時代を謳歌しながらも、日本が植民地になることはなかった。明治維新後の約三〇年間は近代化のために「お雇い外国人」という名のもと海外から多くの有識者、技術者を招き入れる政策をとったことはご存じのかたが多いと思う。英国からの技術者の数が最も多く明治二十二年までの短期間で一位は英国の一一二七名、二位がアメリカの四一四名で英国の半数以下、そして三位はフランスの三三三名であった（この数字は近藤和彦著『イギリス史10講』岩波新書、二〇一三年からの引用）。大英帝国が自らを地球の中心としたがゆえに、日本は「極東」と呼ばれるようになったのだが、これだけの人数が「極東」、日本の近代化のために海を渡った。

英国は鉄道先進国で、ロンドンに世界初の地下鉄道まで開通させたのが日本の江戸時代であったという驚くべき歴史がある。その鉄道先進国の英国から一八名の鉄道技師が日本政府からの依頼でお雇い外国人として日本の鉄道開業に尽力した。指揮官は日本史に名を残すエドモンド・モレル氏で、高輪ルートを決めたのも彼であった。モレル氏の指揮のもと横浜と新橋間に日本初の列車が走った感動の年は一八七二年で、モレル氏は持病と激務による過労のため、一八七一年に三十歳という若さで永眠している。乗務員のすべてが英国人であったという開通初日にモレル氏の姿はなかった。今は横浜港を眺める山手の丘の外国人墓地に静かに眠る彼は「鉄道の恩人」と呼ばれ、今も桜木町駅近くにその功績を記す碑がある（当時の横浜駅は現在の桜木町駅近くであったため）。命尽きるまで、日本に鉄道を開通させるために働いた英国人である。

英国の産業革命による技術で極東、日本に鉄道が敷かれた。**英国が動けば、それは必ず何らか**

の形で世界を変える。その影響は極東にまで及ぶことは歴史が証明している。日本時間で二〇二一年一月一日午前八時に英国は正式に欧州連合からの離脱を果たした。クリスマス・イブにぎりぎりの合意に達し、文化、政治、経済、すべてを総合して英国が大きく変わろうとする欧州連合からの離脱直前の東京におけるこの唐突な鉄道遺構の出土のニュースに言い知れぬ不思議な感覚を覚えた。

二つ目の遠い昔の出来事である。二十世紀の新しい動きとして第五章でファイブ・アイズと称される英語圏の中核の国々だけで構成される機密情報の共有を目的とした組織について解説した。軍事ジャーナリストの黒井文太郎氏によると、これは「情報覇権の世界最強の軍団」とのことである。この凄い組織が日本が加盟することを切望している。特にトニー・ブレア元首相とテリーザ・メイ前首相が日本に熱い思いを寄せている。英語圏でない日本になぜ？　あまりにも非現実的で不思議な要望に思えるかもしれない。しかし英国は既に「**植民地であった**」ことや「**英語圏である**」**という要因を超越した次世代に向けて新しい世界システムを構築すべく動き始めている。**英国にふさわしい大胆、かつ品格のある世界システムであってほしい。

「情報」に関する組織、ファイブ・アイズに触れたところで、歴史上の皮肉な事件についてもお伝えしたい。英国とフランスは一〇〇年以上続く戦争を二度もしている。実は、この英仏の不仲が日本における英語という言語に対する目覚めをもたらした。ナポレオン戦争ではオランダがフランスの属国となっていた。敵国のオランダが東洋に進出していることを知った英国の軍艦が一八〇八年に長崎の出島にオランダの国旗を掲げて入港した。日本は鎖国していたがオランダ船の入港は許されていた。この英国船フェートン号をオランダ船と思い込んで長崎奉行の役人、通詞(通訳のこと)、そしてオランダ商館員二人が歓迎に出向いた。英国が攻撃を予定していたオランダ船が停泊していなかったために、二人のオランダ人商館員を人質として捕え食糧や燃料を要求し人質は解放された、という事件であった。

この事件で日本の警備体制の不備を嘆き、翌年一八〇九年に英国に関する「情報」を得るために長崎奉行がオランダ語通詞に「**国防のため**」**英語を学ぶことを命じた**。**これが日本における英語学習の始まりであった**。ファイブ・アイズが日本の協力を求めていることに鑑みると、日本における英語学習の始まりが英語圏との親交のためではなく、英語圏から国家を守ることであったという、何とも皮肉な話である。

十九世紀の初めに日本でフェートン号事件として知られる悪事を働いた国が、十九世紀の後半になると、今度は日本の近代化に尽くしてくれる。そして二十世紀には二度の世界大戦で戦火を交えながらも、二十一世紀に入ると間もなく、世界のたった五カ国だけで構成される機密情報を共有する仲間に日本が加わることを希望する。これが大英帝国と極東、日本の不思議な歴史の流れである。

最初に日本の地を踏んだ英国人は三浦按針ことウィリアム・アダムスであったことは学校で学ぶはずである。フェートン号事件から二〇〇年以上さかのぼる一六〇〇年、鎖国に入る前であった。三浦按針が徳川家康に気に入られ外交顧問を務めるに当たって日本語を一生懸命に学んだこともあり、この時代には英語学習が必要という目覚めはなかった。しかし、**徳川家康とウィリアム・アダムスの出逢いは少なくとも記録に残っている最古の日本人と英国人の like-minded の実例である。**アダムスは自身が世を去ったら、家康公の住む方角を眺める地に葬って欲しいと言い残している。現在は横須賀市の丘の上に三浦按針の墓という碑が立っている（しかし実際に永眠したのは平戸のようである）。

按針が世を去り四〇〇年以上が経過した二〇一七年に長崎県平戸市で出土した人骨が三浦按針のものかもしれないというニュースがあった。その後、東邦大学の研究チームが研究をすすめ、三浦按針の遺骨である可能性が極めて高いという発表をしたのが二〇二一年一月であった。これも不思議な偶然に思える。

モレル技師による鉄道遺構の出土が英国の欧州からの離脱の一カ月前、そしてアダムス氏の遺骨の確認が離脱の一カ月後であり、「英国の孤立」の象徴とまで嫌がらせを言われた離脱が日本においては、二人の英国の偉人に囲まれた形の、日本時間で二〇二一年初春の完全なる離脱であった。

モレル氏が世を去って一〇年経た一八八一年には、英国の建築家ジョサイア・コンドル氏の設計により鹿鳴館の建設が着工された（完成は一八八三年）。鉄道の恩人のモレル氏、鹿鳴館を設計したコンドル氏を始めとして一〇〇〇人を超える大英帝国の人々が日本の近代化に尽力した。今こそ、日本における大英帝国の意義の深さを再考すべき時ではないだろうか。

もちろん、英国の欧州連合からの離脱の前後に日本で起きたことは偶然の出来事であることは申すまでもないが、日本を愛しながら天に召された偉大な英国人が何かを日本に伝えたいのではないかという思いが脳裏から離れずにいる。彼らにとっての願いは世界の平和であるに違いない。欧州連合からの離脱を果たした英国がEmpire 2.0を揶揄のままで終わらせることなく、大英帝国時代の栄誉を抱き続けながらも、かつて支配していた国々と新たな関係、「人間的な顔をもち」かつlike-mindedという「心を伴う結束」という関係を構築することで、帝国時代とは異なる形で世界を先導する国家となることを祈っているのかもしれない。そして、次世代に向けての大英帝国2・0の試みにおいて、日本が担う責任も大きいことを本書を通じて知っていただくことができたならば、光栄の至りである。

謝辞

本書の出版にあたりまして編集をご担当くださいました北澤晋一郎様のこの上なくお心の籠った編集と数々の貴重なご助言に御礼申し上げます。私のタイプミス満載の原稿を美しい書に仕上げてくださいました。北澤様の豊富なご経験に基づく編集の手腕に心より感謝しております。

日英協会事務局の藤本道子様に励ましのお言葉をいただき、またデータの確認のご協力を賜り御礼申し上げます。また英国大使館、広報部のスタッフの方々に資料入手のご協力を賜り御礼申し上げます。

本書の中に誤った情報がございましたら、それは筆者自身のリサーチによる筆者の責任でございます。編集者、日英協会、大使館からいただきました情報は一〇〇パーセント正しいものでありますことは申すまでもございません。

参考資料　コモンウェルスの加盟国のリスト

日本語の文献ではコモンウェルスまたは英連邦と称されますが、英語の正式名はCommonwealth of Nationsまたは略してThe Commonwealthです。エリザベス女王を元首とする国は●印で示します。国旗にユニオン・フラッグ（俗称ユニオン・ジャック）を含めている国はオーストラリア、ニュージーランド、フィジー、ツバルです。加盟国は二〇二一年五月現在、英連合王国を含め五四カ国です。

アフリカ

ボツワナ
カメルーン
ガンビア
ガーナ
ケニア
エスワティニ
レソト
マラウィ
モーリシャス
モザンビーク（旧ポルトガル領、英語を公用語としていません）
ナミビア
ナイジェリア
ルワンダ（旧ベルギー領、二〇〇八年に英語を公用語に加え、二〇〇九年に加盟、二〇二一年六月にコモンウェルス首脳会議の開催国となっています）
セーシェル

シエラレオネ
南アフリカ
ウガンダ
タンザニア
ザンビア

アジア

バングラデシュ
ブルネイ・ダルサラーム
インド
マレイシア
モルディブ
パキスタン
シンガポール
スリランカ

カリブ海及び南北アメリカ

●アンティグア・バーブーダ
●バハマ
バルバドス（二〇二一年中に元首を国内で決めますが、英連邦には残ります）
●ベリーズ
●カナダ
ドミニカ
●グレナダ

ガイアナ
●ジャマイカ
●セントルシア
●セントクリストファー・ネーヴィス
●セントヴィンセント・グレナディーン
トリニダード・トバゴ

欧州

キプロス
マルタ
●英連合王国（正式にはグレートブリテン及び北アイルランド連合王国）

太平洋沿岸諸国（オセアニア）

●オーストラリア
フィジー
キリバス
ナウル
●ニュージーランド
●パプアニューギニア
サモア
●ソロモン諸島
トンガ
●ツバル
バヌアツ

〈著者紹介〉
宇津木　愛子（うつぎ　あいこ）

横浜雙葉学園卒。上智大学外国語学部卒。同大学修士課程、理論言語学専攻修了。英国ケンブリッジ大学に留学、博士号を取得（英語構文の分析）。学位取得後も研究を続け、ケンブリッジ大学における研究歴は約 8 年。専門は理論言語学。

慶應義塾大学商学部教授を経て、現在は慶應義塾大学名誉教授。教職課程において「英語圏事情」講義担当。英国式ディベート国際大会における決勝戦の審査員の資格を有す。

日英協会会員（会長は駐日英国大使）、日本英語交流連盟会員（本部はロンドン）

著書

Function and Structure（共著、John Benjamins Publishing Company、1999 年）
『日本語の中の「私」—国語学と哲学の接点を求めて』（創元社、2005 年）
『世界と英語と日本人』（北樹出版、2016 年）

大英帝国 2.0
英語圏の結束、そして日本

定価（本体 1600 円 + 税）

乱丁・落丁はお取り替えします。

2021年5月31日初版第1刷印刷
2021年5月31日初版第1刷発行
著　者　宇津木愛子
発行者　百瀬精一
発行所　鳥影社 (choeisha.com)
〒160-0023 東京都新宿区西新宿3-5-12トーカン新宿7F
電話 03-5948-6470, FAX 0120-586-771
〒392-0012 長野県諏訪市四賀229-1（本社・編集室）
電話 0266-53-2903, FAX 0266-58-6771
印刷・製本　モリモト印刷

ISBN978-4-86265-894-4 C0030